D1113081

Un mot
dans le silence,
un mot
pour méditer

Coordination de l'édition: Linda Nantel
Conception de la maquette intérieure: Johanne Lemay

DISTRIBUTEURS EXCLUSIFS:

- Pour le Canada et les États-Unis:
  LES MESSAGERIES ADP*
  955, rue Amherst, Montréal H2L 3K4
  Tél.: (514) 523-1182
  Télécopieur: (514) 939-0406
  * Filiale de Sogides ltée

- Pour la Belgique et le Luxembourg:
  PRESSES DE BELGIQUE S.A.
  Boulevard de l'Europe 117
  B-1301 Wavre
  Tél.: (10) 41-59-66
       (10) 41-78-50
  Télécopieur: (10) 41-20-24

- Pour la Suisse:
  TRANSAT S.A.
  Route des Jeunes, 4 Ter
  C.P. 125
  1211 Genève 26
  Tél.: (41-22) 342-77-40
  Télécopieur: (41-22) 343-46-46

- Pour la France et les autres pays:
  INTER FORUM
  Immeuble Paryseine, 3 Allée de la Seine, 94854 Ivry Cedex
  Tél.: (1) 49-59-11-89/91
  Télécopieur: (1) 49-59-11-96
  Commandes: Tél.: (16) 38-32-71-00
                 Télécopieur: (16) 38-32-71-28

John Main

UN MOT
DANS LE SILENCE,
UN MOT
POUR MÉDITER

*Traduit de l'anglais par
Claudine Bertrand*

 le jour,
éditeur

Données de catalogage avant publication (Canada)

Main, John, o.s.b.

Un mot dans le silence, un mot pour méditer

Traduction de: *Word into silence.*
Comprend des références bibliographiques

1. Méditation - Christianisme.   I. Titre.

BV4813 . M31514   1995   248.3'4   C95-940291-8

© 1995, Le Jour,
une division du groupe Sogides,
pour la traduction française

L'ouvrage original anglais a été publié
par Darton, Longman & Todd, Ltd.,
sous le titre *Word into Silence*
[ISBN: 0-8091-2369-X]

Dépôt légal: 1er trimestre 1995
Bibliothèque nationale du Québec

ISBN 2-8904-4562-3

PRÉFACE

Ce qui fait la beauté de la vision chrétienne de la vie, c'est qu'elle est une vision d'unité. En effet, dans la perspective chrétienne, toute l'humanité a été unifiée dans Celui qui est uni au Père. Toute matière ainsi que toute création sont prises dans le mouvement cosmique qui mène à cette unité: la réalisation de l'harmonie divine. Il ne s'agit pas là d'une vision abstraite, mais d'une vision imprégnée d'une profonde joie personnelle, car elle permet à chacun d'affirmer sa propre valeur. Aucune beauté originelle ne se perdra dans cette grande unification; chacune sera amenée à se réaliser en tout. Dans l'union, nous devenons ce que nous sommes appelés à être. Et ce n'est que dans l'union que nous prenons la pleine mesure de notre être.

Cette vision maîtresse exceptionnelle a guidé la tradition chrétienne de siècle en siècle. Privés de cette vision, nous ne pouvons nous désigner comme étant les disciples du Christ. La tâche qui nous incombe à tous est de nous épanouir dans cette vision par notre expérience personnelle, de la voir par nous-mêmes, ou plutôt, de la voir avec les yeux du Seigneur. Dans la vision chrétienne, notre tâche première consiste à réaliser l'union, à réaliser la communion. Pour la plupart d'entre nous, cela signifie qu'il nous faut transcender tout dualisme et tout ce qui nous divise intérieurement, et aller au-delà de l'aliénation qui nous éloigne les uns des autres. Le dualisme est à l'origine des hérésies qui ont menacé de détruire la pure «centralité», l'équilibre de la perspective chrétienne. Le dualisme a également créé pour chacun de nous les impossibles et irréalistes confrontations entre «l'un ou l'autre» qui ont causé tant d'angoisses inutiles: Dieu ou homme, amour de soi ou amour du prochain, cloître ou place du marché.

Pour communiquer l'expérience chrétienne de l'union, l'expérience de Dieu en Jésus, il nous faut résoudre d'abord et avant tout cette fausse dichotomie en nous-mêmes. Nous devons devenir Un par celui qui est Un.

Toute dualité semble par nature se propager d'elle-même et ainsi compliquer l'intégrité et la simplicité d'où nous émergeons et vers lesquelles nous ramène la prière profonde. L'une de ces dualités fondamentales a été celle de la polarisation de la vie active et de la vie contemplative, qui a eu pour conséquence malheureuse d'éloigner la majorité des chrétiens de cette même prière profonde qui transcende la complexité et rétablit l'unité. Nous en sommes venus à nous considérer soit comme une personne contemplative, soit comme une personne active, cette distinction s'effectuant aussi bien chez les religieux que chez les laïcs. En tant que personnes actives, nous faisions partie de la vaste majorité, c'est-à-dire du groupe de ceux dont la vie spirituelle était basée sur la piété ou sur l'intellect et qui ne prétendaient d'aucune façon connaître Dieu par expérience personnelle. En tant que personnes contemplatives, nous faisions partie d'une faible minorité privilégiée; nous étions séparés du corps social non seulement par des murs élevés et des coutumes étranges, mais souvent par l'utilisation d'un vocabulaire spécialisé, voire par une incommunicabilité totale.

Comme toutes les hérésies, cette dernière s'est révélée plausible et durable parce qu'elle possédait un grain de vérité. Quelques-uns sont effectivement appelés à vivre dans l'Esprit en marge de l'activité du monde. Leurs valeurs premières sont le silence, la quiétude et la solitude. Le contemplatif n'est peut-être pas un prédicateur, mais il doit néanmoins communiquer son expérience, parce que celle-ci se communique d'elle-même. Son expérience est celle de l'amour, et l'amour tend à se propager pour communiquer, partager et élargir le champ de sa communion même. La conclusion que l'on a tirée de la fausse compréhension de la dimension contemplative de l'Église a dénaturé l'enseignement explicite du Nouveau Testament qui affirme que l'appel à la sainteté est universel. L'appel de l'Absolu s'adresse à chacun de nous, et seul cet appel nous apporte le sens ultime de notre vie. Et notre valeur ultime réside dans la liberté qui nous est donnée de répondre à cet appel. L'exclusion de la majorité des chrétiens de cette invitation a eu des répercussions majeures et profondes à la fois au sein de l'Église et au sein de la société. Si nous sommes privés de notre valeur et de notre signification ultimes, peut-on s'attendre à ce qu'un grand respect mutuel soit le principe directeur de nos relations de tous les jours?

Rien n'est plus urgent dans l'Église et dans le monde d'aujourd'hui qu'une compréhension renouvelée de l'universalité de cet appel à la prière, à la prière profonde. L'unité chez les chrétiens et, à longue échéance, chez les différents peuples de diverses croyances dépend de notre capacité à reconnaître le fait que le principe profond d'unité correspond à une expérience personnelle à l'intérieur de notre propre cœur. Si nous devons réaliser que le Christ est en fait la paix entre nous, nous devons savoir que le «Christ est tout et est en tout». Et nous en lui. Les membres du Corps du Christ doivent réaliser cette expérience personnellement afin que l'Église puisse la communiquer avec autorité. Notre autorité doit être humble; elle doit prendre ses racines dans cette expérience par laquelle nous nous transcendons pour atteindre notre pleine humanité. Notre autorité en tant que disciples vient de notre intimité avec le Créateur, bien loin de l'autoritarisme ou des sentiments de peur et de culpabilité qui nourrissent le pouvoir par lequel l'homme se dresse contre l'homme. Dans la prière, le chrétien renonce à son propre pouvoir. Il se détache de lui-même. En agissant de la sorte, il fait preuve d'une foi absolue dans le pouvoir du Christ comme seul capable de restaurer l'unité parmi les hommes, car il s'agit du pouvoir de l'amour, du pouvoir de l'union même. En tant que chrétiens, les hommes et les femmes de prière ouvrent leur cœur à ce pouvoir, et ils accroissent la capacité de tous les hommes à découvrir la paix qui se situe bien au-delà de leur expérience coutumière.

Il n'y a rien de neuf dans le fait d'affirmer que les chrétiens doivent prier. Le véritable défi pour les chrétiens contemporains consiste à retrouver une voie de prière profonde qui les amènera à faire l'expérience de l'union en se détournant des distractions superficielles et de toute forme de piété imbue d'elle-même. Les questions d'aujourd'hui ont toujours existé: comment prier à cette profondeur? Comment acquérir la discipline à laquelle cette prière nous engage? Comment se concentrer, de façon totalement naturelle, sur la réalité la plus profonde de notre foi? Comment faire la transition essentielle de l'imagination à la réalité, du conceptuel au concret, de la compréhension notionnelle à l'expérience personnelle? Ces questions sont prioritaires, et il ne suffit pas de les aborder comme n'importe quel autre problème intellectuel. Elles constituent pour nous des défis existentiels très urgents que nous devons relever non pas avec des idées, mais avec notre vie.

Nous trouvons la réponse à la question: «comment prier?» dans l'affirmation de saint Paul: «*Nous ne savons que demander pour prier comme il faut; mais l'Esprit lui-même intercède pour nous.*» Ce qu'il appelle «sa prière» n'est rien de moins pour le chrétien qu'une porte d'entrée dans l'expérience même de prière de Jésus qui est l'Esprit, le lien d'union au Père. En dissipant toute confusion entourant la notion de prière, cette révélation libère le chrétien. L'expérience personnelle de Jésus est la réalité éternellement présente au cœur de chaque conscience humaine. Notre quête de connaissances, de moyens ou d'enseignements secrets est devenue inutile en raison du dévoilement du secret ultime: «le secret, c'est que le Christ est en vous». Ainsi, lorsque nous prions, nous ne nous efforçons pas de faire advenir quelque chose, car ce quelque chose s'est déjà produit. Nous réalisons ce qui «est» en entrant toujours plus profondément dans la conscience unifiée de Jésus, dans la merveille de notre propre création. La fixation sur soi qui nous emprisonne et qui nous empêche d'entreprendre ce cheminement s'estompe lorsque nous reconnaissons que «nous possédons l'Esprit du Christ».

À l'instant où nous prenons conscience que le centre de la prière se trouve dans le Christ, et non en nous-mêmes, nous pouvons demander: «comment?» et recevoir une réponse pratique. Nous entreprenons alors la première étape d'un pèlerinage qui peut se révéler ardu et solitaire. Toutefois, à ce moment précis de notre vie, nous nous éveillons à nous-mêmes, à l'instar de tous ceux qui ont suivi le même parcours spirituel et qui ont poursuivi le pèlerinage. Notre propre expérience nous conduit à cette tradition de prière, et, en acceptant d'y souscrire, nous permettons à la tradition de vivre et de se perpétuer d'une génération à l'autre. L'important est de reconnaître et de saisir l'occasion qui nous est offerte de rendre notre propre expérience tout à fait réelle.

La méditation selon la tradition chrétienne constitue une réponse simple et, par-dessus tout, pratique à cette question. Et pourtant, au cœur de cette tradition, se trouve l'expérience riche et profonde des saints, connus et inconnus. À l'origine, il y a les enseignements de Jésus, la tradition religieuse dans le cadre de laquelle il a vécu et enseigné, l'Église apostolique et les Pères. Cette tradition est devenue très tôt dans l'Église chrétienne l'apanage des moines et du monachisme, et elle constitue depuis la voie principale, qui s'est répandue dans le Corps entier et l'a nourri. À mon avis, il n'y a là rien de mystérieux. Les moines ont toujours donné la primauté à la pratique plutôt qu'à la théorie et leur pauvreté intérieure et extérieure a favorisé l'«expérience en elle-même» plutôt que le processus de réflexion portant sur l'expérience. Il est alors naturel, voire inévitable, que la méditation se retrouve au cœur même du monachisme. Et de ce fait, le monachisme revêt un caractère important face à l'Église et au monde.

Ce monachisme aux priorités bien définies sera un mouvement ouvert — et donc non exclusif — à l'intérieur de l'Église. Il démontrera que l'expérience doit d'abord être vécue pour se communiquer. Ce chemin fréquenté par un petit nombre en attirera plusieurs. L'on devra expliquer, écrire ou discuter. Mais l'enseignement le plus profond et la fin de toutes les paroles aboutiront à une participation à ce moment créateur qu'est la prière. Dans le silence des moines réside leur véritable éloquence.

Certains s'inquiètent parfois du problème que représente l'accessibilité à la méditation selon la tradition monastique. Le fait que la méditation soit promue par des moines n'implique-t-il pas qu'elle constitue le seul chemin possible? Cette inquiétude dissimule souvent la peur qu'il ne s'agisse d'une demande trop absolue à imposer à des «chrétiens ordinaires», à des «non-contemplatifs». Néanmoins, cette demande, cette occasion est celle-là même que l'Évangile présente aux hommes et aux femmes de tous âges et de toutes cultures. Jésus a révélé à «tous» la condition à remplir pour devenir ses disciples. Il est ironique de constater que des gens «ordinaires» cherchent par milliers ce chemin à l'extérieur de l'Église, des gens qui n'ont pu trouver cet enseignement spirituel dans l'Église lorsqu'ils en avaient besoin et se tournent vers l'Orient ou vers des formes de religions orientales adaptées à l'Occident. Lorsque ces personnes découvrent que la méditation se pratique également au sein de la tradition chrétienne occidentale, ils s'étonnent: «Pourquoi n'en avons-nous pas été informés?» La rencontre de l'Orient et de l'Occident dans l'Esprit, qui constitue l'un des traits majeurs de notre époque, ne peut être fructueuse que si elle se réalise dans le cadre de la prière profonde. Cette vérité s'applique également à l'union des diverses dénominations chrétiennes. La condition préalable de cette union dans la prière profonde réside dans notre redécouverte de la richesse contenue dans notre propre tradition, et dans le courage d'embrasser cette voie.

Or, tout cela ne relève-t-il pas de la simple utopie religieuse? Ce manuel se fonde sur la croyance contraire. Et cette croyance est basée sur l'expérience acquise dans notre monastère par le fait de véhiculer et de partager cette tradition en tant que réalité vivante. Dans notre communauté établie ici à Montréal, nous avons consacré comme priorité quatre périodes de méditation quotidiennes qui sont intégrées à notre office et à notre eucharistie. De plus, notre tâche consiste à communiquer et à partager notre tradition avec quiconque émet le désir de s'y ouvrir. La majorité des gens qui se joignent à nos groupes de méditation hebdomadaire, que ce soit à titre d'invités pour quelques jours ou simplement pour méditer avec nous pendant nos périodes de prière commune, sont des pères ou mères de famille, des gens qui poursuivent une carrière et qui doivent faire face aux responsabilités de la vie quotidienne. Pourtant, ils ont choisi de pratiquer la méditation qui, en créant matin et soir un espace de silence dans leur vie, leur a procuré l'encadrement et la discipline nécessaires à leur quête de profondeur et à leur enracinement dans le Christ. Il serait absurde de vouloir les classer dans les catégories des «actifs» ou des «contemplatifs». Ces gens ont été interpellés par l'Évangile et ils désirent répondre avec tout leur être au don infini qu'ils ont reçu dans l'amour de Dieu et qui nous est donné en Jésus. Ils reconnaissent que cette réponse constitue un pèlerinage dans les profondeurs insondables de l'amour de Dieu, et ils ont simplement entrepris ce pèlerinage.

L'enthousiasme manifesté par toutes ces personnes pour la méditation m'a incité à rédiger le présent ouvrage. Il s'agit en substance d'une série de cassettes enregistrées il y quelques années en Angleterre et qui servaient d'introduction à la méditation ainsi que d'encouragement pour les débutants, spécialement pour ceux qui ne pouvaient nous visiter ou demeurer avec nous pendant une période prolongée. À l'origine, il y a donc eu des paroles, et l'enseignement oral demeure à mon avis le moyen idéal de transmettre cette tradition. La méditation nous conduit vers un mystère personnel, le mystère de notre propre personne, et ce mystère s'accomplit totalement dans la personne du Christ. Par conséquent, plus nous le communiquons de façon personnelle, plus le mystère se rapproche de sa source et de son but.

Ainsi, rappelez-vous que les mots reproduits ici ont d'abord pris vie sous la forme de paroles, et j'espère qu'en gardant cela à l'esprit, ces mots sauront véhiculer une tradition qui doit prendre vie dans notre propre expérience.

John Main, O.S.B.

INTRODUCTION

Apprendre à méditer ne consiste pas uniquement à maîtriser une technique, mais davantage à prendre conscience et à faire l'expérience directe de la profondeur — non pas de la nature humaine en général — mais de sa propre nature. Pour entreprendre ce pèlerinage, l'idéal serait de faire appel à une personne qui vous servirait de guide. Le présent manuel vous incitera peut-être à le faire.

Le recouvrement de soi

Il importe tout d'abord de bien comprendre ce qu'est la méditation dans le contexte de la tradition chrétienne. Le terme méditation est employé ici dans le sens de contemplation, prière contemplative, prière méditative, etc. La méditation permet essentiellement d'approfondir la relation fondamentale de notre vie: celle qui nous relie à Dieu, notre Créateur. Toutefois, la majorité d'entre nous ne peut prendre conscience de cette relation, de sa pleine merveille et de son glorieux mystère, avant d'avoir rempli une condition préalable. En effet, nous devons apprendre à être présents à nous-mêmes d'abord, à développer une relation profonde avec nous-mêmes avant de pouvoir aborder avec sincérité notre relation avec Dieu. Autrement dit, nous ne pouvons commencer à prendre conscience de notre Dieu et

Père, auteur de toute harmonie et de toute sérénité, tant que nous n'avons pas découvert, développé et expérimenté la capacité de paix, de sérénité et d'harmonie qui est en nous.

La méditation est le moyen très simple par lequel nous nous mettons peu à peu en paix avec nous-mêmes afin d'être capables d'éprouver la paix de Dieu en nous. Beaucoup de gens considèrent la méditation comme une méthode de relaxation qui les aide à conserver leur paix intérieure malgré les pressions de la vie moderne. Cette conception n'est pas fausse, mais elle est trop limitative. À mesure que nous nous adonnons à la méditation et que nous en ressentons les effets apaisants, nous nous rendons compte que la source du nouveau calme que nous éprouvons dans notre vie quotidienne est justement la vie de Dieu en nous. Cependant, pour accéder à cet état de paix, nous devons délibérément choisir d'être en paix; d'où cette exhortation du psalmiste: «*Arrêtez, connaissez que moi je suis Dieu*[1].»

En dépit de la complexité de nos problèmes contemporains et de notre rythme de vie effréné, cette profonde paix intérieure nous est peut-être plus accessible aujourd'hui qu'au temps du poète hébreu auteur de ce verset à cause de la réalité puissante qu'est Jésus. En effet, la grande conviction du Nouveau Testament est que Jésus, en nous donnant son Esprit, a transformé de façon radicale la conscience humaine, et que, par sa rédemption, Jésus-Christ nous a ouverts à des niveaux de conscience que saint Paul décrit en termes de «*création entièrement nouvelle*». Ainsi, nous avons été véritablement recréés grâce à tout ce que Jésus a accompli pour l'humanité en y établissant sa demeure. Dans ce passage de la lettre aux Romains, Paul décrit dans ces termes

---

1. Ps 46,11.

l'œuvre que Dieu a accomplie en la personne de son Fils Jésus:

> *Ayant donc reçu notre justification de la foi, nous sommes en paix avec Dieu par notre Seigneur Jésus-Christ, lui qui nous a donné d'avoir accès par la foi à cette grâce en laquelle nous sommes établis, et nous nous glorifions dans l'espérance de la gloire de Dieu. Que dis-je? Nous nous glorifions encore des tribulations, sachant bien que la tribulation produit la constance, la constance une vertu éprouvée, la vertu éprouvée l'espérance. Et l'espérance ne déçoit point, parce que l'amour de Dieu a été répandu dans nos cœurs par le Saint Esprit qui nous fut donné[2].*

Quand on y pense, cette proclamation est tout à fait étonnante: saint Paul dit bien que Jésus «*nous a donné d'avoir accès par la foi à cette grâce en laquelle nous sommes établis*» et que «*l'amour de Dieu a été répandu dans nos cœurs par le Saint Esprit qui nous fut donné.*» Saint Paul n'était pas qu'un théoricien, il désirait ardemment transmettre aux hommes une vérité et leur faire prendre conscience de la réalité universelle de cette vérité. La grande conviction de l'apôtre, c'est que la réalité centrale de la foi des chrétiens repose sur le fait que Jésus a envoyé son Esprit saint demeurer en nous. En effet, notre foi est une foi vivante précisément parce que l'Esprit de Dieu demeure en nous, insufflant une vie nouvelle à nos corps mortels.

Le but de la méditation chrétienne est de permettre à la présence mystérieuse et silencieuse de Dieu en nous de devenir non seulement *une* réalité, mais davantage *la* réalité, cette réalité qui donne un sens, un contenu et une raison d'être à tous nos actes, comme à tout notre être.

---

2. Rm 5,1-5.

La méditation est un processus d'apprentissage. C'est une activité par laquelle on apprend à porter attention, à se concentrer et à être présent. W.H. Auden affirmait avec raison que c'est dans les écoles que devrait être offert l'enseignement de l'esprit de la prière dans un environnement laïque. Dans ces écoles, soutenait-il, on enseignerait aux élèves à se concentrer entièrement et exclusivement sur un quelconque sujet, que ce soit un poème, une image, un problème mathématique ou une feuille sous un microscope, et à se concentrer totalement sur ce sujet. Pour W.H. Auden, «esprit de prière» signifiait «attention détachée de soi».

Pour apprendre à méditer, nous devons en premier lieu porter attention à nous-mêmes. Nous devons pleinement prendre conscience de qui nous sommes. Si nous pouvons concevoir ne serait-ce qu'un moment notre condition de créatures de Dieu, nous pouvons alors entrevoir nos propres possibilités. Nous avons une origine divine; Dieu est notre Créateur. La vision chrétienne nous enseigne que Dieu ne nous crée pas pour ensuite nous abandonner à nous-mêmes, mais qu'il est un Père aimant. Ainsi, en méditant, c'est notre vraie condition que nous commémorons et à laquelle nous portons pleine attention. Lorsque nous oublions cette vérité fondamentale, nous sommes portés à nous mésestimer; notre vie nous échappe pendant que l'ennui et notre emploi du temps surchargé nous empêchent de nous rappeler qui nous sommes. Nous ne portons pas assez attention à notre origine divine, à notre rédemption par Jésus qui nous a rachetés à la fois de l'insignifiance et de l'ennui, et nous oublions qu'il a fait de nous des temples de sainteté par la présence de l'Esprit saint en nous.

La méditation nous permet de prendre conscience de notre infini potentiel en faisant l'expérience de la présence du Christ. Saint Paul le décrit ainsi dans l'épître aux Romains:

Ceux qu'il a appelés, il les a aussi justifiés; ceux qu'il a justifiés, il les a aussi glorifiés[3].

Dans la méditation, nous nous ouvrons à cette splendeur. En d'autres mots, nous découvrons à la fois qui nous sommes et pourquoi nous existons. Dans la méditation, nous ne nous fuyons pas, nous nous découvrons; nous ne nous rejetons pas, nous nous affirmons. Saint Augustin exprime cela d'une façon claire et belle: *«L'homme doit d'abord être rendu à lui-même, afin qu'après avoir édifié en lui-même comme un tremplin, il puisse de là s'élever et être porté jusqu'à Dieu.»*

Il est probable que nous sommes presque tous familiers avec ces vérités. Nous savons que Dieu est notre Créateur et que Jésus est notre Rédempteur. Nous savons également que Jésus a envoyé son Esprit habiter en nous, et la notion de destinée éternelle ne nous est pas inconnue. Mais notre grande faiblesse à nous, chrétiens, est que cette connaissance demeure le plus souvent théorique et qu'elle ne se traduit pas en une réalité vivante dans notre cœur. Nous n'avons pas réalisé que ces propos communiqués par l'Église, par les théologiens, par les prédicateurs du haut de leur chaire ou par les revues constituent les vérités fondamentales de notre vie, une base solide qui nous permet d'acquérir conviction et autorité.

Ainsi, la méditation dans le contexte de la tradition chrétienne n'apporte pas vraiment d'élément nouveau ou moderne. Le but que nous poursuivons en méditant est de nous tourner vers notre propre nature avec une concentration totale, de faire l'expérience de notre

---

3. Rm 8,30.

condition de créatures, et, par-dessus tout, de nous tourner vers l'Esprit du Dieu vivant qui habite en nos cœurs et de faire l'expérience de sa présence. La vie de l'Esprit en nous est indestructible et éternelle, et, de la même manière, les vérités transmises par la tradition chrétienne de la méditation sont toujours nouvelles et perpétuellement modernes.

Quand on médite, l'intention n'est pas d'avoir des pensées sur Dieu, sur son Fils Jésus, ou sur l'Esprit saint. En méditant, on cherche à réaliser quelque chose d'infiniment plus grand. En nous détournant de tout ce qui est éphémère et sans importance, nous ne cherchons pas seulement à penser à Dieu, mais à *être avec lui*, à expérimenter sa personne comme le fondement de notre être. Savoir que Jésus est la Révélation du Père et notre Chemin vers le Père est une chose. Mais c'en est une bien différente que de faire l'expérience de sa présence ainsi que de la puissance de son Esprit en nous, et, dans cette expérience, de se trouver en présence de son Père, de notre Père.

Nombreux sont ceux qui réalisent aujourd'hui l'importante différence qui existe entre le fait de réfléchir aux vérités de la foi chrétienne et celui d'en faire l'expérience, de même qu'entre le fait de croire en ces vérités sur la foi d'autrui et celui d'y croire à partir de sa propre expérience. Expérimenter ces vérités et s'assurer de leur exactitude ne sont pas des tâches réservées aux seuls spécialistes de la prière. Les lettres inspiratrices et empreintes d'exultation de saint Paul n'étaient pas destinées aux membres d'un ordre de religieux cloîtrés, mais à des gens ordinaires, qu'ils soient bouchers ou boulangers, qu'ils vivent à Rome, à Éphèse ou à Corinthe.

Telles sont les vérités que chacun de nous est appelé à connaître par lui-même, et un moyen d'y arriver nous est donné dans la méditation.

Apprendre à être silencieux

Nous devons maintenant examiner de plus près la nature du silence nécessaire à la méditation. La méditation, ce n'est pas un temps pour les paroles, aussi belles et sincères soient-elles. Toutes nos paroles perdent leur raison d'être quand nous entrons dans cette communion profonde et mystérieuse avec le Dieu dont la Parole précède et suit toute autre parole. «*Je suis l'Alpha et l'Oméga*», déclare le Seigneur.

Pour entrer dans cette mystérieuse et sainte communion avec la Parole de Dieu en nous, nous devons trouver le courage de devenir de plus en plus silencieux. Dans un profond silence créateur, notre rencontre avec Dieu transcende toutes nos capacités de raisonnement et de parole. Par ailleurs, nous sommes tous pleinement conscients que nous ne pouvons comprendre Dieu par le seul fait de penser à lui. Les réflexions du philosophe Alfred Whitehead sur l'étude du temps par les hommes pourraient aussi bien s'appliquer à ce que les hommes pensent de Dieu. Il affirme: «*Il est impossible de méditer sur le temps et sur le mystère du passage créateur de la nature sans être confondus par les limites de l'intelligence humaine.*»

La douloureuse découverte de nos propres limites nous mène à un silence qui exige que nous soyons attentifs, concentrés et présents plutôt que pensifs. Le mystère de notre relation avec Dieu est tellement vaste que ce n'est qu'en développant notre capacité d'atteindre un silence plein de respect et de vénération que nous pourrons prendre conscience de sa merveille, dont nous ne connaîtrons cependant jamais qu'une infime partie. Nous savons que Dieu est au plus profond de nous, et qu'il nous transcende de façon absolue. Ce n'est que par un silence profond et libérateur que nous pouvons concilier les pôles de ce mystérieux paradoxe. En effet, la libération expérimentée par la prière silencieuse nous permet de nous affranchir des effets de distorsion inévitables de toute verbalisation, et ce dès le début de notre expérience de la transcendance de Dieu et de sa présence au plus profond de nous. Quiconque a fait l'expérience du travail libérateur de l'Esprit comprend tout à fait saint Paul quand il affirme aux Romains que notre nature indigne n'a aucun pouvoir sur nous; que nous ne sommes pas obligés de vivre au niveau de cette nature.

Saint Paul l'affirme avec la même merveilleuse assurance aux Colossiens:

> *Il nous a sauvés du royaume des ténèbres et amenés au loin dans le Royaume de son Fils bien-aimé[4].*

Ainsi, parce que Dieu a établi son Royaume en nous, par sa présence au plus profond de nous, il nous est possible de nous libérer des limites de la parole et de la pensée.

Cependant, il peut se révéler difficile d'atteindre ce silence, et le processus qui nous y conduit peut être long. Il ne s'agit pas seulement de savoir tenir sa langue, mais davantage d'être à la fois détendu et dans un état d'éveil dans son esprit et dans son cœur: voilà une expérience que très peu d'Occidentaux connaissent. En effet, ou bien nous sommes détendus, ou bien nous sommes bien éveillés; nous arrivons rarement à faire la synthèse de ces deux états. Toutefois, dans la méditation, nous faisons l'expérience d'être simultanément détendus et en éveil. Cet état de calme ne relève pas du sommeil, mais plutôt d'une concentration totale dans un état d'éveil.

Lorsque l'on observe un horloger sur le point d'exécuter une manœuvre particulièrement délicate à l'aide

---

4. Col 1,13.

d'une minuscule pince, nous remarquons la minutie et le calme dont il fait preuve en examinant l'intérieur de la montre à travers son monocle. Ce calme naît d'une concentration totale, d'une extrême absorption dans son travail. Il en est de même lorsque nous méditons; le calme de la concentration méditative n'a rien à voir avec l'immobilité passive. La méditation est un état de complète ouverture; un état d'éveil total et attentif à la merveille de notre être ainsi qu'à celle de Dieu, lui qui crée l'être et le maintient dans l'existence; une prise de conscience absolue que nous faisons un avec Dieu.

Voici quelques conseils pratiques et très simples pour bien méditer. Il faut commencer par s'asseoir confortablement. Soyez à l'aise, détendu, mais non pas relâché; tenez-vous le dos bien droit. Les personnes qui ont la souplesse nécessaire peuvent s'asseoir par terre et croiser les jambes. Si vous désirez vous asseoir sur une chaise, qu'elle ait un dossier droit et des accoudoirs. La respiration doit être calme et régulière. Prenez le temps de détendre tous vos muscles. Mettez votre esprit au diapason de votre corps. Les dispositions intérieures dans lesquelles il faut être sont un esprit calme et un cœur paisible; là réside tout le défi de la méditation. Il est assez facile de rester assis et immobile — et il importe de le faire —, mais le vrai travail de la méditation consiste à atteindre l'harmonie du corps, de la pensée et de l'esprit. C'est ce que nous évoquons lorsque nous parlons de la paix de Dieu, une paix qui dépasse tout entendement.

Le mystique indien Sri Ramakrishna, qui vivait au Bengale au dix-neuvième siècle, comparait l'esprit à un arbre majestueux rempli de singes se balançant sans arrêt de branche en branche dans un tumulte incessant de jacassements. Force nous est de reconnaître la justesse de cette description lorsque nous commençons à méditer et que nous sommes aux prises avec le tourbillon de nos pensées. Le but poursuivi par la prière n'est pas d'ajouter à cette confusion en essayant de la remplacer par quelque autre flot de paroles, mais d'amener notre esprit distrait et agité au calme, au silence et à la concentration, et de le mettre ainsi à son propre service. C'est le but auquel nous exhorte le psalmiste: «*Arrêtez, connaissez que moi je suis Dieu.*» Pour atteindre ce but, nous avons à notre disposition un moyen très simple, celui que saint Benoît porta à l'attention de ses moines il y a plus de six siècles en leur recommandant la lecture des *Conférences* de Jean Cassien[5].

Cassien recommandait à toutes les personnes désireuses d'apprendre la prière continuelle de répéter sans cesse un simple et court verset. Dans sa *Dixième Conférence*, il préconisait cette méthode de répétition, simple et constante, pour chasser de notre esprit toute distraction et toute pensée, et parvenir ainsi à un état de repos en Dieu[6].

Lorsque je relis ce passage de Cassien, il me revient aussitôt en mémoire une prière tirée de la parabole mettant en scène un pharisien et un publicain, prière en faveur de laquelle Jésus s'était prononcé. Un pécheur se tenait au fond du temple tout en répétant cette simple prière: «*Mon Dieu aie pitié du pécheur que je suis! Mon Dieu aie pitié du pécheur que je suis!*» Ce dernier retourna chez lui justifié, nous dit Jésus, tandis que le pharisien, qui se tenait à l'avant du temple et qui priait de manière fort éloquente, ne le fut pas[7]. Tout l'enseignement de Cassien sur la prière est basé sur l'Évangile:

---

5. *Règle de Saint Benoît,* 42,6,13; 73,14.
6. Jean Cassien, *Conférence* 10,10.
7. Lc 18,9-14.

Dans vos prières, ne rabâchez pas comme les païens: ils s'imaginent qu'en parlant beaucoup ils se feront mieux écouter. N'allez pas faire comme eux; car votre Père sait bien ce qu'il vous faut, avant que vous le lui demandiez[8].

En somme, il ne s'agit pas, lorsque l'on prie, de parler à Dieu, mais de l'écouter ou d'être avec lui. C'est cette simple compréhension de la prière que Jean Cassien tente de nous transmettre lorsqu'il conseille à quiconque désire prier d'être attentif, calme et immobile, tout en récitant continuellement un court verset. La méthode préconisée par Cassien lui est venue d'une ancienne tradition déjà bien établie en son temps, une tradition universelle et immuable. Plus de mille ans après Cassien, l'auteur (inconnu) de *The Cloud of Unknowing* (*Le nuage d'inconnaissance*) recommande de répéter un simple mot: «*Et c'est pourquoi faut-il prier dans la hauteur et dans la profondeur, dans la longueur et la largeur de notre esprit, et cela non point par mots et nombreuses paroles, mais en un petit mot d'une brève syllabe.*»

À l'intention des néophytes, pour qui cette conception peut sembler plutôt étrange, permettez-moi d'expliquer de nouveau la discipline de base de la méditation. Installez-vous confortablement et détendez-vous. Gardez le dos bien droit. Respirez avec calme et régularité. Fermez les yeux, et alors, dans votre esprit, commencez à répéter le mot que vous avez choisi comme mot de méditation.

Dans la tradition orientale, on appelle ce mot *mantra*. Ainsi, j'utiliserai dorénavant l'expression «dire le mantra». Il est important de bien choisir votre mot ou mantra, et c'est pourquoi vous devriez consulter votre guide pour ce faire. Toutefois, il existe différents mantras. En l'absence de maître pour vous guider, il serait judicieux de choisir un mot qui a été consacré au cours des siècles par notre tradition chrétienne. Dès le début, l'Église a

---

8. Mt 6,7-8.

utilisé certains mots comme mantras pour la méditation chrétienne, et je recommande à la plupart des débutants d'utiliser l'un d'eux: «MARANATHA», mot araméen qui signifie: «Viens Seigneur. Viens Seigneur Jésus.»

D'ailleurs, saint Paul termine son épître aux Corinthiens[9] avec ce mot, à l'instar de saint Jean dans son Apocalypse[10]. On le trouve aussi dans quelques-unes des premières liturgies chrétiennes[11]. En outre, je préfère la forme araméenne à toute autre car elle ne possède aucune connotation verbale ou conceptuelle pour la plupart d'entre nous, ce qui facilite la méditation. On pourrait aussi bien opter pour le nom de Jésus, ou encore pour le mot que Jésus utilisait dans sa prière: «Abba», mot araméen qui signifie «Père». Mais, ce qu'il y a de plus important au sujet du mantra, c'est qu'il faut en choisir un — de préférence avec l'aide d'un guide — et le conserver. Ne le modifiez en aucune manière; votre progression dans la méditation en serait retardée.

Selon Jean Cassien, le but de la méditation est de restreindre son esprit à la pauvreté d'un humble verset. Un peu plus loin, Cassien s'explique par une expression lumineuse lorsqu'il nous engage à devenir des «pauvres magnifiques[12]». La méditation vous fera certainement voir la pauvreté autrement. La persévérance dans la répétition du mantra vous amènera à une compréhension de plus en plus approfondie, à partir de votre expérience personnelle, de cette déclaration de Jésus: «*Heureux les pauvres en esprit[13]*». De plus, en persévérant dans la répétition fidèle du mantra, vous apprendrez de manière très concrète le sens du terme fidélité.

---

9. 1 Co 16,22.
10. Ap 22,20.
11. Didache 10,6.
12. *Conférence* 10,11.
13. Mt 5,3.

Ainsi, dans la méditation, nous proclamons notre pauvreté personnelle. Nous renonçons à toute pensée, mot ou image en restreignant l'activité de notre esprit à la pauvreté d'un unique verset. Le processus de la méditation est donc la simplicité même. Cependant, pour connaître les bienfaits de la méditation, il importe de méditer quotidiennement, matin et soir, pendant au moins vingt minutes, la durée moyenne devant se situer entre vingt-cinq et trente minutes. Il est également profitable de méditer régulièrement au même endroit et au même moment de la journée, ce qui permet de développer un certain rythme dans notre vie, la méditation devenant une sorte de pulsation gardant la mesure de ce rythme. Une fois que vous êtes prêt à commencer, il importe de garder à l'esprit de répéter fidèlement le mantra pour toute la durée de la méditation, durant toute la période que l'auteur du *Nuage d'inconnaissance*[14] nomme «le temps du travail».

14. *Le nuage d'inconnaissance*, chapitres 4-7, 36-40.

La puissance du mantra

Fondamentalement, toute prière chrétienne est le moyen d'expérimenter la présence de l'Esprit saint en nous. Ainsi, lorsqu'il est question de la prière, nous devons nous concentrer sur l'Esprit saint plutôt que sur nous-mêmes. Saint Paul l'exprime de la façon suivante dans son épître aux Romains:

> *Pareillement l'Esprit vient au secours de notre faiblesse; car nous ne savons que demander pour prier comme il faut; mais l'Esprit lui-même intercède pour nous en des gémissements ineffables, et Celui qui sonde les cœurs sait que c'est le désir de l'Esprit et que son intercession pour les saints correspond aux vues de Dieu[15].*

Cette expérience d'être remplis de l'Esprit saint par la prière nous ouvre au merveilleux et nous permet de mieux réaliser l'extraordinaire potentiel de vie qui nous est donné. Dans un certain sens, nous pouvons dire qu'avant la prière, nous ne percevons la réalité que par ses limitations. Tout nous apparaît alors transitoire et fugitif. Nous avons la sensation d'être prisonniers de l'inévitable cycle de la vie et de la mort, le *samsara* bouddhiste. Cependant, après la prière, nous acquérons la conviction que toute chose de la création, y compris nous-mêmes, possède l'infinie capacité de s'ouvrir à la merveille et à la splendeur de Dieu.

Il se produit alors une chose merveilleuse. En même temps que grandit ce sentiment d'émerveillement devant la puissance de Dieu en nous, se développe la conscience toujours plus profonde de l'harmonie et de la plénitude créatrice qui nous habitent. Nous avons alors la sensation de faire connaissance avec nous-

---

15. Rm 8,26-27.

mêmes pour la première fois. Mais ce qu'il y a de vraiment sublime dans cette découverte réside dans le fait qu'en prenant conscience de notre propre harmonie, nous découvrons que nous sommes capables de véritable empathie, d'être en paix avec les autres, et, en fait, d'être en paix avec l'ensemble de la création.

Pour acquérir une conscience toujours plus claire de la présence de l'Esprit saint priant en nous, il suffit de réciter de plus en plus fidèlement notre mantra. La répétition fidèle de notre mot intègre tout notre être. En effet, la méditation nous mène au silence, à la concentration et au niveau de conscience nécessaire à l'ouverture de notre esprit et de notre cœur au travail de l'amour de Dieu au plus profond de notre être.

Pour bien méditer, faut-il le répéter, vous devez vous asseoir confortablement et demeurer immobile. Puis, vous devez commencer à dire votre mantra dans le silence de votre esprit: «Maranatha, Ma-ra-na-tha». Répétez le mot calmement, sereinement, et — c'est le plus important — avec une fidélité absolue durant tout le temps de la méditation, soit durant vingt à trente minutes. Nous commençons par réciter le mantra dans notre tête. L'homme occidental contemporain, qui accorde beaucoup d'importance à la vie intellectuelle, ne peut d'ailleurs concevoir d'autre façon de procéder. Cependant, à mesure que nous progressons en demeurant simplement fidèles, le mantra commence à résonner non seulement dans notre tête, mais davantage dans notre cœur; il semble s'enraciner au plus profond de notre être.

Les maîtres spirituels de l'Église orthodoxe ont toujours insisté sur l'importance essentielle de ce qu'ils appellent la «prière du cœur». Pour eux, la séparation de l'esprit et du cœur chez l'homme est attribuable à sa chute, et ce sentiment de division interne ressenti par les Occidentaux s'insinue dans la conception qu'ils ont d'eux-mêmes. Aujourd'hui, on ne parle plus de «péché» mais d'«aliénation». Lorsque l'on considère, d'une part, le vaste champ sémantique que recouvre ce dernier terme dans son acceptation marxiste — le sentiment d'impuissance, l'absence de signification, l'éloignement de soi, la recherche infructueuse de normes adéquates relatives aux relations humaines — et, d'autre part, la conception que nous avons de nous-mêmes, nous réalisons combien nous sommes profondément divisés. Dans le contexte de la méditation, ces nombreuses aliénations se réduisent à celle relative à la division fondamentale qui existe entre l'esprit et le cœur. L'esprit est l'organe de la vérité; le cœur, celui de l'amour. Que l'on décide de faire fonctionner l'un indépendamment de l'autre et nous sommes aussitôt envahis par un sentiment d'échec, de mauvaise foi, de profond ennui ou par le désir de se réfugier dans un surcroît de travail, de s'abandonner à une fuite désespérée de nous-mêmes.

La véritable nature religieuse de l'homme ne se traduit pas en termes de récompense ni de punition, mais en termes de plénitude et de division. La conviction suprême des religions tant orientales qu'occidentales repose sur l'anéantissement de toutes les aliénations et sur l'unification de nos capacités intellectuelles et émotives dans le cœur. Selon un extrait des *Upanishads*, l'esprit doit demeurer dans le cœur[16]. Saint Paul proclame d'ailleurs la même vision d'unité chez l'homme lorsqu'il donne à l'amour la suprématie sur toute autre dimension ou activité humaine[17]. Pour les saints hommes de l'Église orthodoxe, la tâche essentielle de tout chrétien consiste à restituer à l'homme cette unité par l'intégration de l'esprit et du cœur au moyen de la prière. Or, le mantra procure ce pouvoir d'intégration. C'est comme

16. *Maitri Upanishad* 6,24.
17. 1 Co 13,13.

une harmonique qui résonne dans les profondeurs de notre esprit, nous apportant un sentiment toujours plus profond de notre plénitude et de notre harmonie intérieures. Le mantra nous conduit à la source de cette harmonie, à notre centre, tout comme le signal du radar guide l'avion à travers un épais brouillard. Il nous transforme également, en ce sens qu'il fait concorder tous nos pouvoirs et toutes nos aptitudes, tel un aimant qui, placé au-dessus de la limaille de fer, l'attire dans son propre champ magnétique.

Les trois premiers objectifs à viser quand on commence à méditer sont les suivants: d'abord, s'en tenir à répéter le mantra durant tout le temps de la méditation. Il faudra quelque temps pour atteindre ce premier objectif, et nous devrons apprendre la patience pour y arriver. Méditer constitue un processus entièrement naturel pour nous tous. Tout comme notre croissance physique s'effectue naturellement et à son propre rythme, avec des variantes pour chacun d'entre nous, notre vie spirituelle se développe aussi naturellement. Il ne faut rien précipiter, seulement dire notre mantra sans hâte et sans rien anticiper.

La deuxième étape consiste à réciter le mantra sans interruption durant toute la méditation et à rester parfaitement calme face à toutes les distractions qui peuvent se présenter. Le mantra est comparable ici à une charrue qui traverse le champ raboteux de notre esprit sans laisser prise aux obstacles ou aux distractions qui pourraient la faire dévier.

Le troisième but à atteindre, enfin, est de réciter le mantra sans aucune distraction, pendant toute la durée de la méditation. Tout ce qui se trouve à la surface de notre esprit est maintenant en accord avec la profonde paix éprouvée au cœur de notre être. La même harmonique résonne dans tout notre être. Lorsque nous atteignons cet état, nous transcendons toute pensée, toute imagination, toute image. Nous demeurons simplement en paix avec la Réalité: celle de la présence de Dieu lui-même dans notre cœur.

Le lecteur sera peut-être porté à croire qu'il s'agit là d'une entreprise bien ambitieuse. Pourtant, elle ne fait que répondre à l'appel de Jésus qui nous invite à tout abandonner et à le suivre[18]. Lorsque nous abandonnons toute pensée et toute imagination, nous cherchons à le suivre dans la pureté de notre cœur. La méditation devient alors un processus de purification. Blake exprime cela dans cette phrase: *«Si les portes de la perception étaient nettoyées, tout apparaîtrait à l'homme tel quel, infini.»* Grâce au mantra, nous laissons derrière nous les images passagères et apprenons à demeurer paisibles dans l'infinité de Dieu lui-même. Saint Paul nous y exhorte dans son épître aux Romains:

> *[Je vous exhorte]... par la miséricorde de Dieu, à offrir vos personnes en hostie vivante, sainte, agréable à Dieu: c'est là le culte spirituel que vous avez à rendre. Et ne vous modelez pas sur le monde présent, mais que le renouvellement de votre jugement vous transforme et vous fasse discerner quelle est la volonté de Dieu, ce qui est bon, ce qui lui plaît, ce qui est parfait[19].*

Cette transformation de notre nature nous est présentée comme une possibilité réelle et immédiate. Il s'agit également de l'expérience chrétienne essentielle, l'expérience de naître à nouveau dans le Saint-Esprit, de naître à nouveau lorsque nous réalisons la puissance de l'Esprit vivant de Dieu en nous. En prenant conscience de sa présence en nous, nous le laissons libre de travailler en nous, afin de nous transformer. Le mantra constitue simple-

18. Lc 9,23.
19. Rm 12,1-2.

ment le moyen qui nous amène à vivre l'expérience chrétienne centrale, qui nous fait réaliser par notre expérience personnelle que *«l'amour de Dieu a été répandu dans nos cœurs par le Saint Esprit qui nous fut donné[20]»*.

Nous, chrétiens contemporains, pouvons facilement lire des textes comme ceux écrits par saint Paul avec un cœur voilé et un esprit fermé, sans jamais comprendre vraiment ce que Paul avait découvert au plus profond de lui avec tant de joie et qu'il tentait de nous transmettre. Nous pouvons admettre ce qu'il a découvert sur une base purement notionnelle. Nous pouvons même le prêcher. Mais n'ayant pas fait l'expérience directe de cette réalité immédiate et permanente, nous sommes dépourvus d'autorité, de confiance et de courage. Paul nous dit: *«Vous connaîtrez l'amour du Christ qui surpasse toute connaissance [21].»* Il faut préparer notre cœur à recevoir le merveilleux message de l'Évangile dans toute sa plénitude. Ce n'est qu'après avoir pleinement pris conscience des vérités transmises par l'Évangile que nous pourrons saisir toute l'étendue du message de notre rédemption, et comprendre également la véritable signification du discours religieux traditionnel. Jusqu'à cette prise de conscience, notre esprit et notre cœur demeureront limités, trop absorbés par les activités terre-à-terre quotidiennes. La voie de la méditation nous donne justement le moyen d'ouvrir notre cœur, d'élargir notre vision et, comme le dit Blake, *«de nettoyer les portes de la perception»*.

Vous devez maintenant avoir une bonne idée de ce que la méditation quotidienne peut vous apporter. Bien sûr, la pleine réalisation de la présence du Royaume de Dieu en nous comporte plusieurs étapes. Mais il est tout

---

20. Rm 5,5.
21. Ép 3,18.

à fait inutile de perdre temps et énergie à se poser des questions sur notre progression. «*En vérité je vous le dis: quiconque n'accueille pas le Royaume de Dieu en petit enfant n'y entrera pas[22].*» Afin que nous puissions nous ouvrir à l'amour de Dieu et à sa puissance, nous devons commencer à méditer. Pour ce faire, il suffit de dire le mantra, avec amour et dans un silence plein de foi.

Les étapes de notre progression dans la méditation se succéderont d'elles-mêmes, selon les desseins de Dieu. Nous ne faisons que retarder cette progression en portant une attention exagérée à la réussite de chacune des étapes. L'aide d'un guide se révèle ici inestimable pour vous maintenir sur la bonne voie. Mais au fond, l'essentiel de l'enseignement de votre guide réside en cette seule instruction: dites votre mantra. Le reste consiste simplement à vous donner encouragement et réconfort jusqu'à l'enracinement du mantra dans votre conscience. La voie vers la lumière en est une que nous devons parcourir nous-mêmes. Chacun y gagne sa propre sagesse. Le guide est celui qui vous aide à persévérer dans ce pèlerinage. Le mot même de «gourou», évocateur de lumière, signifie celui qui persévère.

La tentation est grande de nous rendre plus complexes. «*Si vous ne devenez pas comme des petits enfants...*» Or, la méditation nous simplifie, et ce jusqu'au point où il nous est possible de recevoir la plénitude de la vérité et de l'amour. Elle nous prépare à écouter avec une attention propre à l'enfance l'Esprit de Jésus en nous. Plus nous persévérons dans la méditation, plus nous entrons profondément en relation avec l'Esprit, avec Dieu qui est amour dans nos cœurs, qui nous inonde de lumière et nous vitalise.

---

22. Mc 10,15.

La plénitude de vie

Pour quiconque en entend parler pour la première fois, la méditation peut sembler n'être qu'une autre forme d'introversion égocentrique à la mode. Pour le non-méditant, celui qui médite s'absorbe tellement en lui-même, et si souvent, qu'il semble plutôt faire preuve d'un narcissisme profond et malsain. Il s'agit d'une réaction tout à fait normale de la part du profane, car, comme nous l'avons déjà vu dans l'expression de saint Augustin, l'homme doit d'abord *«être rendu à lui-même, afin qu'il puisse s'élever jusqu'à Dieu»*. En méditant, nous affirmons notre foi dans ce don qu'est notre propre création. Nous convenons de la merveille de notre être, et nous sommes prêts à consacrer temps et efforts pour le réaliser. Jésus dit dans saint Jean qu'il a pour mission de nous apporter la vie en plénitude: *«Moi, je suis venu pour qu'on ait la vie et qu'on l'ait surabondante[23].»* Dans le même Évangile, il affirme être lui-même la voie de cette plénitude. Il nous dit: *«Je suis la lumière du monde. Qui me suit ne marchera pas dans les ténèbres, mais aura la lumière de la vie[24].»* Lorsque nous nous adonnons à la méditation, nous répondons courageusement à l'invitation de Jésus, et, chaque fois que nous méditons, nous sommes vitalisés et illuminés.

Ce qui ressort triomphalement de l'enseignement de Jésus et de ce que l'Église primitive en a retiré, c'est que cette vie et cette lumière se retrouvent bel et bien en chacun de nous. Saint Paul ne s'adresse ni à des spécialistes ni à un groupe de chartreux ou de carmélites, mais à de simples citoyens de Rome:

---

23. Jn 10,10.
24. Jn 8,12.

Et si l'Esprit de Celui qui a ressuscité Jésus d'entre les morts habite en vous, Celui qui a ressuscité le Christ Jésus d'entre les morts donnera aussi la vie à vos corps mortels par son Esprit qui habite en vous[25].

La méditation nous amène à ouvrir notre cœur à cette lumière et à cette vie simplement en nous faisant attentifs à leur présence en nous: nous portons notre attention sur notre vraie nature, et en devenant pleinement conscients de l'union de notre nature avec le Christ, nous devenons pleinement nous-mêmes. Ainsi, en devenant pleinement nous-mêmes, nous entrons dans la plénitude de vie que Jésus nous a apportée. Dans le silence plein de révérence de notre prière, nous commençons à nous apercevoir que nous sommes infiniment saints en tant que temples de l'Esprit même de Dieu. Nous apprenons à reconnaître qui nous sommes, et que notre vocation consiste à regarder, à contempler la divinité de Dieu lui-même, et, de ce fait, à être nous-mêmes divinisés. Ainsi que l'exprime la troisième prière eucharistique: «*Un jour, nous te verrons Seigneur tel que tu es, et nous deviendrons tels que toi.*» Pour les grands maîtres chrétiens, la prière est une découverte de soi qui transcende l'égocentrisme étroit en édifiant en nous comme un tremplin. Richard de Saint-Victor, un Écossais qui vivait au douzième siècle, exprimait cela d'une façon claire et simple:

L'âme rationnelle trouve en elle-même le principal miroir qui lui permet de voir Dieu. Que celui qui désire voir Dieu essuie son miroir et nettoie son cœur. Une fois que l'on aura essuyé et observé le miroir longuement et attentivement, on verra briller la lumière divine, et apparaîtra un grand rayon de lumière inconnu jusqu'alors.

---

25. Rm 8,11.

Par la répétition du mantra, nous polissons notre miroir intérieur afin que notre cœur s'ouvre pleinement aux bienfaits de l'amour de Dieu, reflète parfaitement la lumière de cet amour. Il importe de réaliser que la première étape de ce processus consiste à mettre notre «maison» en ordre. La méditation devient ainsi un processus de découverte de soi. En demeurant fidèles aux deux séances de méditation quotidiennes, nous découvrons que dans la tradition chrétienne, la découverte et l'affirmation de soi sont les réalisations de notre véritable grandeur et de notre vraie splendeur dans le Christ. Sainte Catherine de Gênes l'expliquait de cette façon: «*Mon moi, c'est Dieu, et je ne puis connaître mon être personnel, sinon en lui.*» La tradition hindoue affirme également que notre tâche première est de découvrir notre véritable soi intérieur, l'Atman, pour nous permettre de prendre conscience de notre union avec le soi universel ultime, le Brahman, qui est Dieu.

De la même façon, la perspective chrétienne nous fait voir la prière comme une prise de conscience de l'intimité de notre union avec Dieu, notre Père, par le Christ dans l'Esprit. Saint Grégoire a écrit: «*Saint Benoît demeurait en lui-même, en la présence perpétuelle de son Créateur, obligeant son regard à se détourner des distractions.*» Cette description particulièrement séduisante révèle que le père du monachisme occidental était avant tout un homme de prière. Il «*demeurait en lui-même*». Par cette affirmation, saint Grégoire nous signale que saint Benoît avait atteint la plénitude et l'harmonie qui lui ont permis de se défaire de toutes les fausses idées et de toutes les illusions le concernant, illusions qui sont obligatoirement extérieures à l'homme.

Notre tâche consiste donc à découvrir la voie vers notre centre créateur, où l'on parvient à la plénitude et à l'harmonie, et à habiter à l'intérieur de nous-mêmes en laissant derrière nous toutes les fausses conceptions de nous-mêmes — ce que nous croyons être ou aurions pu être — car elles ne possèdent aucune existence réelle à l'extérieur de nous. Le fait de demeurer en nous-mêmes en niant honnêtement et simplement toute illusion nous permet d'être perpétuellement en présence de notre Créateur. C'est ici que le mantra acquiert toute son importance. À mesure que nous apprenons à enraciner le mantra dans notre conscience, nous forgeons la clé qui ouvrira la porte de la chambre secrète de notre cœur. Dire le mantra matin et soir n'est pas facile au début. Le mantra doit nous devenir parfaitement familier. Mais lorsque nous commençons à le faire résonner et à l'écouter, chaque fois que nous le récitons nous entrons à l'intérieur de notre cœur et y demeurons. Ainsi, le seul fait de ramener le mantra à notre esprit à n'importe quel autre moment de la journée nous permet de nous retrouver immédiatement en présence du Créateur qui habite en nous. *«Et voici que je suis avec vous pour toujours jusqu'à la fin du monde[26]»*, dit le Seigneur.

Apprendre à prier, c'est apprendre à vivre le plus pleinement possible dans le moment présent. Par la méditation, nous cherchons à entrer le plus pleinement possible dans l'instant et, ce faisant, à vivre le plus pleinement possible avec le Seigneur ressuscité qui est éternellement présent et nous aime d'un éternel amour. Par cet engagement dans le moment présent, nous nous découvrons, nous entrons en nous-mêmes, pour habiter en nous-mêmes; et pour cela, nous renonçons à toute pensée et à toute image. En méditant, nous ne pensons ni au passé ni à l'avenir, qu'il s'agisse du nôtre ou de celui de quelqu'un d'autre. Lorsque nous méditons, nous nous investissons complètement dans le moment présent, et dans cet état nous vivons à la pleine mesure de notre capacité: notre

---

26. Mt 28,20.

conscience s'éveille et s'approfondit tandis que nous entrons en relation avec le Seigneur de la Vie. Cette expérience en est une d'unité et de simplicité.

Tout d'abord, nous sommes conscients de notre plénitude et de notre unité, puis, peu à peu, nous constatons que nous faisons un avec les autres, avec l'ensemble de la création, avec notre Créateur. Tout en demeurant calmement dans cet état de conscience supérieure, nous comprenons graduellement la signification de l'épître de saint Paul aux Éphésiens: «*Vous entrerez par votre plénitude dans toute la Plénitude de Dieu[27].*» Nous commençons à comprendre qu'être, c'est être ici et maintenant.

Ce pèlerinage en notre propre cœur demande de la détermination. Eliot expliquait cela de la façon suivante: «*L'espèce humaine ne peut pas supporter une grande dose de réalité.*» Par la méditation, nous laissons derrière nous toutes les illusions que nous nous sommes faites ou que nous retenons de notre passé, sur nous-mêmes, sur les autres, sur Dieu.

Le silence de la méditation nous fait découvrir le vrai sens des paroles de Jésus: «*Qui veut en effet sauver sa vie la perdra*» et «*si quelqu'un veut venir à ma suite, qu'il se renie lui-même[28]*». Certes, il faut de la détermination pour devenir vraiment tranquille, et du courage pour se contenter de dire le mantra en se détournant de toute pensée. Mais en persévérant, nous découvrons que la pauvreté du mantra nous conduit à une simplicité radicale qui rend ce courage possible, car nous sous-estimons grandement notre capacité de courage. La méditation est une prière de foi justement parce que nous nous abandonnons avant que l'Autre se manifeste, et cela sans aucune garantie que l'Autre se manifestera en effet. L'essence de la pau-

---

27. Ép 3,19.
28. Mc 8, 34-35.

vreté comporte ce risque d'annihilation. C'est cela, le saut confiant de soi-même vers l'Autre. C'est le risque exigé par l'amour.

Puis vient un moment critique dans le développement de notre prière. Ce moment survient lorsque nous commençons à prendre conscience de l'engagement total exigé par la prière qui est dépouillement de soi, lorsque nous prenons conscience de la pauvreté absolue à laquelle nous exerce le mantra. L'aide d'un guide pourrait être cruciale à ce moment-ci. Mais au fond, l'invitation à méditer est simple. Nous méditons tout simplement pour nous préparer à recevoir la plénitude de vie et de lumière pour laquelle nous avons été créés.

LA MÉDITATION:
UNE EXPÉRIENCE CHRÉTIENNE

Le Soi

1 Corinthiens 2,14

«*Connais-toi toi-même; ne présume pas que Dieu scrute. La véritable étude de l'humanité est celle de l'homme.*» Lorsque Alexander Pope écrivit ces lignes dans son *Essai sur l'homme*, la nature essentiellement raisonnable de l'homme lui inspirait une plus grande confiance qu'à nos contemporains, et sa confiance en l'humanité dépassait le simple humanisme rationnel. Cette confiance supposait que l'on avait foi en la bonté intrinsèque de l'homme et en l'expérience positive de la vie. Pope reconnaissait également une organisation chez l'homme, ainsi qu'une harmonie dans le déploiement des énergies du cosmos. L'homme moderne, quant à lui, fait montre d'une confiance en soi beaucoup plus chancelante. En effet, il ne peut qu'avouer son impuissance face à ces forces qu'il a libérées et qu'il ne contrôle plus, et face à la diminution des ressources naturelles qu'il a exploitées sans discernement et qui risquent de s'épuiser avant que ses petits-enfants ne puissent en jouir.

Cette confusion et cette aliénation proviennent peut-être de ce qu'il a perdu le soutien que lui procure une foi absolue en la bonté essentielle de l'homme, en sa nature raisonnable et en son intégrité profonde. En fait, il a perdu toute confiance. Il se doit d'établir — s'il ne l'a pas déjà trouvé — une communauté de pensée et de sentiment, mais celle-ci se fonde le plus souvent sur l'autocritique, le pessimisme ou le négativisme. Il s'agit peut-être là d'une conséquence directe de notre disgrâce, les liens de solidarité qui existent entre les hommes se tissant sur une base négative: nous partageons les mêmes peurs et les mêmes préjugés. Toutefois, une fraternité positive et intense est possible lorsqu'elle se fonde sur la reconnaissance de la prédominance du potentiel de l'esprit humain plutôt que sur les contraintes de la vie. La tâche spécifique de tout chrétien consiste à enraciner cette réalité dans la compréhension qu'il a de lui-même et du monde dans lequel il vit.

Si le christianisme est plus qu'une simple idéologie parmi d'autres, si c'est une vie que nous recevons et dont nous sommes les porte-parole, alors pourquoi ne pouvons-nous pas, grâce à la puissance de la résurrection de Jésus que nous portons en nous, transformer les énergies négatives que l'homme moderne utilise pour se fustiger lui-même en une prise de conscience de la profondeur et de la richesse de notre propre esprit?

Un mythe ancien raconte la malédiction qui pèse sur le royaume du roi pêcheur: les eaux sont gelées et la terre pétrifiée. Rien ni personne ne peut lever cette malédiction, et le roi demeure assis, abattu, pêchant silencieusement à travers un trou dans la glace. Un jour, un étranger s'approche et lui pose la question rédemptrice. Aussitôt, les eaux s'écoulent à nouveau et la terre redevient meuble.

Les personnes religieuses ont très souvent prétendu avoir réponse à toutes les questions. Selon elles, leur mission consiste à persuader et à faire respecter des règles, à niveler les différences et peut-être même à imposer l'uniformité. Il y a vraiment un peu du Grand Inquisiteur chez la plupart de ces personnes. Cependant, lorsque la religion commence à être intimidante ou insinuante, elle devient non spirituelle: car le don premier de l'Esprit, celui qui façonne la nature humaine, réunit liberté et franchise; ce qu'on nomme, en langage biblique, liberté et vérité. La mission du chrétien moderne est de sensibiliser à nouveau ses contemporains au fait qu'ils sont habités par un esprit. Il ne fait pas que retransmettre des réponses trouvées dans un livre. À partir du moment où il a trouvé son propre esprit, il devient un maître pour ses contemporains, une source d'inspiration. Il peut les aider à accepter la responsabilité de leur être, à relever le défi que représente le désir naturel d'Absolu, afin qu'ils puissent ainsi découvrir leur propre esprit.

Pour pouvoir inspirer son prochain, il ne suffit pas d'être courageux, bien que cette qualité soit nécessaire. Effrayé, Moïse interrogea Dieu: «*S'ils refusent de me croire et de m'entendre, et s'ils me disent: Yahvé ne t'est pas apparu?[29]*» L'éloquence ne suffit pas non plus, bien qu'elle sera donnée. Il n'existe pas de qualité qui permette à l'homme de poser la question qui le sauvera. Lorsque l'homme se voit agir en tant qu'instrument du Verbe, alors il reconnaît qu'il est guidé par l'Esprit. Et il le reconnaît parce qu'il a vu son propre esprit; parce qu'il a entrevu les profondeurs de son propre esprit et qu'il a compris que son esprit est de Dieu.

Cette connaissance, dont saint Paul reconnaît qu'elle surpasse toute connaissance, nous fait naître à nouveau dans l'Esprit; elle nous fait éprouver l'expérience chrétienne originale qui exalta l'Église primitive

---

29. Ex 4,1.

et qui se répandit grâce aux prédications de saint Paul et des saints de siècle en siècle. C'est l'expérience qui commence dans la rencontre silencieuse avec nous-mêmes. Tout doit y être assujetti: possessions, possessivité, désir et honneur, corps et esprit. Nous devons renoncer à tout si nous voulons atteindre cet état de parfaite simplicité qui n'exige rien de moins que le don de tout, et qui ouvre nos yeux à la présence et à l'amour du Seigneur Jésus en nous, ainsi qu'à la présence de son Esprit, qui est en communion perpétuelle avec Dieu le Père. Saint Paul nous dit: «*Qui n'a pas l'Esprit du Christ ne lui appartient pas[30].*» La question rédemptrice posée par le chrétien prend naissance dans les profondeurs de son expérience de l'esprit, et elle stimule ses contemporains à découvrir ces mêmes profondeurs en eux-mêmes. Toutefois, il n'est possible de parler que de ce que l'on a vu. L'Évangile de Jean nous rappelle que «*ce qui est né de l'Esprit est esprit[31]*».

Peu de générations ont fait preuve d'autant d'introversion et d'auto-analyse que la nôtre. Pourtant, il est notoire que l'étude de l'homme moderne sur lui-même demeure stérile, et ce, du fait surtout de sa non-spiritualité radicale: cette étude n'a pas été menée dans la lumière de l'Esprit, elle n'a pas tenu compte de cette dernière en tant que dimension réelle et fondamentale de la nature humaine. Sans vie spirituelle, il n'y a ni productivité, ni créativité, ni possibilité d'épanouissement. C'est le devoir du chrétien de le souligner avec l'autorité de celui qui sait vraiment ce qu'est l'Esprit, et cela parce qu'il reconnaît son propre esprit, parce qu'il reconnaît cet épanouissement infini de l'esprit de l'homme rendu possible lorsqu'il accepte la présence de l'Esprit de Dieu, celui par qui il existe.

---

30. Rm 8,9.
31. Jn 3,6.

Ce chrétien possède un pouvoir: le pouvoir du Seigneur ressuscité. Ce pouvoir réside dans la libération de l'esprit accomplie durant le cycle de la mort et de la résurrection, grâce à notre participation à la mort et à la résurrection de Jésus. Ce à quoi nous mourons lorsque nous persévérons dans notre volonté de nous ouvrir à l'Esprit, c'est à notre ego étroit et limité, à nos préoccupations insignifiantes et aux ambitions qui entravent le rayonnement de notre être; nous mourons à la peur que nous éprouvons à la vue de la lumière qui émane de notre être; nous mourons à tout ce qui constitue un obstacle à la vie, à la vie dans toute sa plénitude. La découverte de notre propre esprit, de notre vrai soi, est une expérience de joie indescriptible: la joie de la libération. Cependant, la perte de soi — sans laquelle il n'y a pas de libération —, l'amoindrissement et la perte de nos illusions tenaces exigent de nous ces qualités primordiales aux yeux de saint Paul: la hardiesse, le courage, la foi, l'engagement et la persévérance. Ces qualités, plus banales qu'héroïques, nous permettent de respecter notre engagement en demeurant fidèles au pèlerinage, à nos deux séances de méditation quotidiennes et à la «grande pauvreté» à laquelle nous mène le mantra. Ces qualités ne sont pas innées, elles nous sont données par amour; l'Esprit nous les offre pour nous guider vers lui, vers un amour profond. L'amour est la seule voie de la vérité ou de l'Esprit. Dieu est amour.

La découverte de son propre esprit conduit l'homme vers son centre créateur, à l'endroit d'où émane son essence et où celle-ci est renouvelée par la vie débordante d'amour de la Trinité. L'homme ne découvre totalement son propre esprit que dans la lumière du seul Esprit, tout comme l'amour de son prochain le soutient et l'enrichit. Il ne se connaît lui-même que dans la mesure où il se laisse connaître par son prochain. Pour se voir lui-même, l'homme doit voir l'autre, car la voie de l'individualité est celle d'autrui.

Il faut voir davantage dans ces déclarations que de simples réalités abstraites. Certes, notre pensée rationnelle peut, guidée par l'Esprit lui-même, commencer le processus de renaissance dans l'Esprit et nous mener à la découverte et à l'épanouissement de notre propre esprit, mais aucune expression purement conceptuelle ne saurait remplacer l'expérience de notre vrai soi. On ne peut substituer l'auto-analyse intellectuelle à la véritable connaissance de soi au plus profond de notre être. Nous pouvons emprunter à un grand nombre de traditions beaucoup de mots et de termes pour exprimer le but de la méditation, de la prière. Permettez-moi de ne proposer ici que cet objectif préalable: que dans le silence de notre méditation, en demeurant attentifs à l'Autre et avec un patient espoir, nous trouvions notre propre esprit.

Le fruit de cette découverte est riche de vérités. Nous savons alors que nous participons à la nature de Dieu, que nous sommes appelés toujours plus intensément dans les profondeurs bienheureuses de sa propre communion, et qu'il ne s'agit aucunement d'un but superficiel poursuivi par les chrétiens. En fait, si ce but est chrétien et vivant, il doit se trouver au centre de tout ce que nous faisons et désirons faire. «*Notre devoir,* dit saint Augustin, *est de redonner vie à l'œil de notre cœur, pour qu'il puisse voir Dieu.*» Cet œil, c'est notre esprit. Afin de réaliser notre vocation et d'étendre le Royaume chez nos contemporains, notre tâche première consiste à découvrir notre propre esprit, car il est notre lien vital avec l'Esprit de Dieu. Ainsi, nous prenons conscience que nous participons à la progression divine, et que nous partageons l'essence de Dieu, qui est harmonie, lumière, joie et amour.

Pour accomplir cette destinée, nous devons nous transcender, atteindre un état continu de liberté et de renouvellement perpétuel et réaliser le passage total vers l'autre. Lorsque nous méditons, nous atteignons cet état en renonçant aux mots, aux images, aux pensées et à tout ce qui est sans importance, éphémère et accessoire, et même à la conscience de soi. Nous devons avoir le courage d'être entièrement attentifs à l'Absolu, à l'éternel, au centre. Pour découvrir notre propre esprit, nous devons demeurer silencieux et permettre à notre esprit d'émerger des ténèbres où il a été refoulé. Pour nous transcender, nous devons demeurer immobiles. La voie du pèlerinage est celle de l'immobilité; la voie du pèlerin est celle du mantra.

Le Fils

2 Corinthiens 5,17

«*Il est préférable d'être silencieux et réel que de parler et d'être irréel*», écrivit saint Ignace d'Antioche au premier siècle. La situation qui prévaut en cette fin du vingtième siècle lui donne certainement raison. On ne puise pas les qualités indispensables à un témoin du Christ — l'autorité, la conviction, l'assurance personnelle — dans les livres, les discussions ou les cassettes; on les découvre plutôt par le fait d'entrer en contact avec soi-même dans le silence de son propre esprit.

L'homme moderne a perdu l'habitude du silence et la capacité de l'éprouver. De ce fait, il se voit privé de l'expérience de l'esprit, de l'âme ou de l'essence qui constitue son être absolu et irréductible. Peu de déclarations relatives à la réalité spirituelle peuvent prétendre à l'unanimité. Cependant, celle qui suit fut exprimée par presque toutes les traditions de manière identique: seul le fait de consentir au silence permet à l'homme de connaître son propre esprit, et seul le fait de s'abandonner à la profondeur infinie du silence peut lui révéler la source de son esprit où multiplicité et division n'existent plus. L'homme moderne se sent souvent profondément menacé par le silence, par «*la terreur croissante de n'avoir rien qui donne à penser*», comme le dit si bien Eliot, et quiconque commence à méditer doit affronter cette peur.

D'abord, nous devons faire face — avec une certaine honte — au tohu-bohu d'un esprit en proie à trop de futilités et de distractions. Puis, une fois ces illusions dissipées par la persévérance dans la répétition du mantra, nous accédons à un niveau de conscience plus sombre, où nous devons affronter nos peurs et nos appréhensions refoulées. La simplicité radicale du mantra nous en libère également. Or, au seuil de la connaissance de soi, notre premier réflexe est de se dérober, et, comme l'a exprimé de manière très imagée Walter Hilton[32]: «*Il n'y a rien là de surprenant, car si un homme ne retrouvait chez lui qu'un foyer enfumé et une femme acariâtre, il s'enfuirait rapidement.*»

Lorsque nous accédons à ces deux niveaux, celui où nous reconnaissons la superficialité de nos distractions, et celui où nous découvrons les anxiétés qui peuplent notre subconscient, nous prenons le risque d'être meurtris. Mais lorsque nous atteignons le niveau de conscience suivant, celui où nous entrons dans notre propre silence, nous risquons tout, car nous y engageons notre être même. «*Ainsi j'ai dit à mon esprit: sois calme.*» La tranquillité de l'esprit et du corps vers laquelle nous guide notre mantra nous prépare à entrer dans le silence. Elle nous aide à cheminer dans les sphères du silence et à voir avec émerveillement la lumière de notre propre esprit; à nous rendre compte que cette lumière transcende notre esprit et qu'elle en est la source. Nous entreprenons ce pèlerinage dans la foi en plaçant toute notre confiance dans une certaine compréhension de ce qui est authentique, de ce qui est réel, tout en demeurant confiants en raison de cette authenticité.

Lorsque nous récitons le mantra, nous renonçons à notre vie pour aimer Celui que nous n'avons jamais vu[33]. Bénis soient ceux qui croient et agissent selon leur croyance, bien qu'ils n'aient jamais vu. La répétition du mantra nous plonge dans un silence qui explore notre infinie pauvreté de pensée et d'esprit, un silence révélateur de notre dépendance totale envers l'Autre. Nous sommes guidés sur la voie d'une simplicité toujours plus profonde qui nous purifie, et dès que nous entrons en

---

32. Mystique anglais du XIVe siècle, moine et directeur spirituel réputé, il est l'auteur de l'ouvrage *L'échelle de la perfection*.
33. 1 P 1,8.

contact avec le fondement de notre être, nous découvrons la vie que nous avions sacrifiée et le soi que nous avions abandonné à l'Autre.

Saint Paul affirmait qu'il portait en son corps la mort de Jésus, et du fait de l'authenticité de cette perception, son témoignage sur le Christ irradiait d'une vie nouvelle[34]. Nous participons tous à la mort de Jésus. D'ailleurs, dans son Évangile, saint Luc souligne cet appel de Jésus qui s'adresse à tous: «*Si quelqu'un veut venir à ma suite, qu'il se renie lui-même, se charge de sa croix chaque jour[35].*» Lorsque nous méditons tous les jours, nous répondons à cet appel. Toutefois, nous nous leurrons nous-mêmes — et nous leurrons les autres également — en tentant de minimiser l'exceptionnelle vocation chrétienne et l'engagement total qu'elle exige. Si l'Esprit nous a guidés vers ce pèlerinage — et tout chrétien est appelé à le faire — nous devons l'entreprendre avec une juste compréhension des exigences qui sont les siennes. Une fois que nous avons pris conscience du silence qui nous habite, nous entrons dans ce silence, dans un vide où nous sommes remodelés. Il nous est impossible de demeurer la personne que nous étions, ou celle que nous croyions être. En fait, nous ne sommes pas anéantis, mais éveillés à la pure et éternelle source de notre être. Nous nous apercevons que nous avons été créés, que nous jaillissons de la main créatrice de Dieu, et que nous revenons vers lui dans l'amour.

Dans le silence, nous nous préparons à cet éveil, un éveil qui n'est rien d'autre que la rencontre avec la plénitude et la splendeur de Jésus ressuscité, car on ne vient au Père que par l'intermédiaire du Fils, par qui tout existe et par qui nous sommes. Mais bien que nous sachions intellectuellement que c'est là le but du silence,

34. 2 Co 4,10.
35. Lc 9,23.

à ce moment précis, notre expérience concrète est celle du vide. Au départ, nous expérimentons une réduction plutôt qu'une expansion, un processus d'épuration qui nous mène à la pureté de notre être, dans une pauvreté d'esprit absolue, dans une simplicité bouleversante.

Lorsqu'il s'adonne à sa pratique de méditation quotidienne, le chrétien porte en lui cette mort à lui-même, non pas de manière obsessionnelle ou dramatique, mais en prenant conscience avec une joie grandissante que plus il meurt à lui-même dans ce vide, plus il est revivifié dans la vie transcendante de celui qui est entièrement libre: Jésus. «*Bien au contraire, encore que l'homme extérieur en nous s'en aille en ruines, l'homme intérieur se renouvelle de jour en jour[36].*» Dans notre vie quotidienne, ce renouvellement intérieur dont parle saint Paul constitue le but et le fruit de nos deux méditations quotidiennes. Nous sommes littéralement renouvelés lorsque nous entrons toujours plus profondément au centre de notre être, lorsque nous acquérons la conscience toujours plus parfaite de l'harmonie de nos qualités et de nos énergies en ce centre ultime de notre être, qui est le centre et la source de tout être, le centre de l'amour trinitaire. «*Si donc quelqu'un est dans le Christ*, écrivit Paul aux Corinthiens, *c'est une création nouvelle[37].*»

Plus le chrétien s'engage profondément dans le cycle de la mort et de la résurrection, plus il prend conscience de cette vérité universelle: qu'il s'agit du cycle de la mort et de la vie de tout être. Il entrevoit alors la signification du Mystère. Pour que nous puissions nous ouvrir entièrement à la force libérée par ce cycle universel, il importe de comprendre que ce cycle se répète à tous les stades de la vie de chacun, de même que dans les innombrables démarches visant à étudier et à com-

36. 2 Co 4,16.
37. 2 Co 5,17.

prendre le sens de notre vie. Par exemple, chaque demi-heure consacrée à la méditation reproduit ce cycle: une mort à la possessivité et aux futilités limitant notre ego, et une résurrection à la liberté de même qu'à la conscience de se trouver soi-même lorsque l'on regarde totalement et attentivement l'Autre. Ce cycle, on peut également le rapporter à l'échelle d'une vie entière de prière: chaque jour, nous mourons et renaissons à une vie nouvelle par notre participation à l'évolution du dessein que Dieu a formé pour chacune de ses créatures.

Cependant, il est également vrai qu'il n'y a qu'une mort et qu'une résurrection, celles de Jésus: pour sauver toute la création, le Verbe est né du silence, et il retourne au silence insondable et à l'amour sans limites du Père. C'est le cycle de la naissance et de la mort, le fondement du cycle de la vie de toute création; le cycle par lequel toute création existe à tout moment; un mystère que l'on ne peut approcher qu'avec un cœur pur. Cependant, le Verbe retourne aussi au Père, mais non dans les mêmes conditions. En se révélant à l'homme dans les profondeurs de son être, qui sont les profondeurs de Dieu, le Verbe accomplit le dessein du Père. Il est né de son silence, et, en lui, naît toute la création. Tel est le but de notre existence que nous avons lu des milliers de fois dans les écrits de Paul s'adressant aux Éphésiens et que nous n'avons pas encore totalement saisi:

> *C'est ainsi qu'Il nous a élus en lui, dès avant la fondation du monde, pour être saints et immaculés en sa présence, dans l'amour, déterminant d'avance que nous serons pour Lui des fils adoptifs par Jésus-Christ. Tel fut le bon plaisir de sa volonté, à la louange de gloire de sa grâce, dont Il nous a gratifiés dans le Bien-aimé[38].*

---

38. Ép 1,4-6.

Que notre raison d'être puisse être liée à celle de Dieu même est stupéfiant. Seule une simplicité absolue nous permet d'admettre courageusement cette révélation. Aucune complexité ni aucun égoïsme ne peut nous éveiller à cette révélation: «*Si vous ne devenez pas comme des petits enfants, vous ne pourrez entrer dans le Royaume des cieux.*» Nous savons que cette proclamation est authentique du fait de notre communion avec le Verbe, le Fils. Toute chose ainsi que tout homme retournent au Père par le Fils. Saint Jean parle du Fils en ces termes: «*Tout fut par lui, et sans lui rien ne fut[39].*» Ainsi, non seulement Jésus est-il l'expression ultime et fondamentale du Père, mais il est également le «point charnière» permettant à l'univers et à tous les êtres vivants de retourner au Père, à la Source. C'est par notre incorporation au corps du Christ, dans ce retour vers le Père, que nous sommes prédestinés à être ses fils.

Dans sa signification essentielle, la méditation consiste à réaliser ceci: notre incorporation totale à Jésus-Christ, c'est-à-dire notre entrée dans le cycle de sa venue et de son retour vers le Père. Les qualités nécessaires à cette rencontre primordiale entre nous-mêmes et le fondement de notre être sont l'attention et la réceptivité. Pour réaliser notre incorporation totale au Verbe, non seulement devons-nous être à l'écoute de son silence, le silence à l'intérieur de nous, mais nous devons également permettre au cycle de sa vie de se reproduire en nous et de nous mener dans la profondeur de son silence. Dans le silence du Verbe, nous partageons son expérience, celle de se voir et d'être éternellement révélé par le Père.

Voilà pourquoi la vie de Jésus revêt une telle importance, et pourquoi le récit de sa vie dans les Saintes Écritures est si précieux. L'expérience de Jésus de Nazareth de s'éveiller à lui-même, de pénétrer

---

39. Jn 1,3.

dans le silence à l'intérieur de lui, de découvrir son propre esprit et la source de son esprit, constitue pour tout homme l'expérience de renaissance dans l'Esprit. Et c'est, selon le dessein insondable du Père, la même expérience pour soi. La merveille de la création, on la découvre non pas dans une succession d'éveils, mais dans l'unique éveil global de Jésus, le Fils, s'éveillant au Père.

Les mots de notre langue se révèlent tout à fait inadéquats, et notre pensée trop centrée sur soi pour refléter la simplicité et la réalité du cycle de la mort et de la résurrection. Mais ce n'est pas de langage ou de pensée dont nous avons besoin. Il importe simplement de prendre conscience du mystère qui nous habite, du silence qui nous permet de voir notre propre esprit. La voie de ce silence est cette courte expression que constitue le mantra.

L'Esprit

1 Corinthiens 6,19

L'Évangile de Jésus diffère de toute autre voie de salut en raison de son caractère personnel. Jésus est une personne, non un symbole ou un archétype, et la voie du salut est celle de notre rencontre personnelle avec Jésus et de l'expérience de son amour rédempteur.

De ce fait, nous sommes appelés à devenir des personnes entières, à devenir pleinement nous-mêmes afin que notre rencontre avec Jésus puisse être totalement personnelle, pleinement mûre. Bien sûr, l'aspiration au plein épanouissement de sa personne ne relève nullement de l'individualisme étroit. La race humaine est ainsi faite que l'humanité entière s'accomplit dans l'individu, alors que l'individu ne s'épanouit que dans l'union avec le Tout. Au cœur du mystère de tout être humain se trouve la vérité d'où tout rayonne: l'individu pleinement épanoui participe à la vie du Tout. L'autorité de l'Église repose sur cette vérité: c'est en faisant l'expérience personnelle de leur salut, c'est-à-dire en prenant conscience de la profondeur de l'amour rédempteur de Jésus en eux, que ses membres sont devenus des «personnes». Nous sommes tous appelés dès maintenant à faire cette expérience, et notre tâche suprême consiste à nous y préparer. Cela signifie que pour redonner plus de présence et de dynamisme à l'Église, et ce, à l'échelle mondiale, le chrétien d'aujourd'hui devra transférer son espérance de la politique à la prière, de la pensée au cœur, des comités aux communautés, de la prédication au silence.

En fait, il est indéniable que la prière et l'expérience personnelle authentique seront toujours prioritaires. «*À cette fin, la célébration des mystères saints, à cette fin, l'enseignement de la Parole de Dieu, à cette fin, les exhortations morales de l'Église*», écrivit saint Augustin. Et «*cette fin*», encore une fois, «*est de redonner vie à l'œil de notre cœur, pour qu'il puisse voir Dieu*».

À l'origine de toute relation amoureuse, il y a l'élan de l'amant vers l'être aimé. Cette relation s'accomplit dans une communion parfaitement simple. Si l'authenticité du mystère chrétien ne dépendait que de l'intensité de notre désir de Dieu, elle ne traduirait alors que la nostalgie du numineux. Mais notre foi vient de l'initiative de Dieu. En effet, saint Jean écrivit: «*En ceci consiste l'amour: ce n'est pas nous qui avons aimé Dieu, mais c'est lui qui nous a aimés et qui a envoyé son Fils[40].*» Nous demeurerons des êtres égocentriques et matérialistes aussi longtemps que notre foi n'exprimera que l'élan de l'homme vers Dieu. Mais en prenant conscience que le mouvement est initié par Dieu, nous nous découvrons emportés dans ce mouvement, dans ses profondeurs mêmes, un mouvement qui nous transcende et nous ramène au Père par le Fils, un mouvement qui se nomme aussi amour.

Ainsi, pour devenir des personnes entières, il faut d'abord se laisser aimer. Afin de nous faciliter la tâche, l'Esprit saint a été envoyé dans notre cœur pour le toucher, pour l'éveiller et pour entraîner notre esprit dans sa lumière rédemptrice. La venue de l'Esprit saint était un événement de résurrection et en est encore un aujourd'hui. Tout se passe encore comme «*le soir de ce même jour,* comme saint Jean le déclare, *lorsque les disciples s'étant réfugiés derrière des portes closes, Jésus vint, souffla sur eux et leur dit: "Recevez l'Esprit Saint"[41]*». La léthargie naturelle de l'homme, son besoin de se dérober à lui-même et sa réticence à se laisser aimer ne sont pas des obstacles à la venue de l'Esprit saint, pas plus que ne l'étaient les portes closes. L'Esprit a été envoyé dans le cœur de l'homme, et il y vit le mystère divin aussi longtemps que Dieu maintient

40. 1 Jn 4,10.
41. Jn 20,19-22.

l'homme dans l'existence. Dans le cœur du plus malin des hommes, s'il existe un tel homme, l'Esprit saint implorerait toujours et sans arrêt: «Abba, Père[42].»

Par sa résurrection et son retour au Père, Jésus, l'homme, notre frère, transcende toutes les limites de la condition humaine, de la peur et de l'ignorance comme il domine le temps et l'espace. Il manifeste sa présence universelle au centre de toute chose. Il établit dans l'homme une présence toujours vivante au centre de son être, dans son cœur; et sa présence dans l'homme diffère de celle qui se trouve dans la matière privée de conscience. En nous, il vit dans un être capable d'élargir sa conscience, de reconnaître et de communiquer sur un plan personnel. La présence de Jésus en nous, son Esprit saint, nous invite à devenir pleinement conscients de cette réalité de notre être. Nous nous éveillons alors à nous-mêmes, à l'Esprit qui nous habite, à la conscience de la communion en Dieu lui-même que nous sommes appelés à partager. Ainsi, il ne s'agit pas d'un éveil à une solitude platonique, mais à la communion totale de tous les êtres dans l'Être même.

Tout débute avec la vague conscience de l'éveil de l'Esprit dans notre cœur, la vague conscience de la présence d'un Autre qui nous permet de nous connaître. En nous éveillant à la totalité de cette réalité, en écoutant notre cœur, nous nous éveillons à la preuve vivante de notre foi et justifions cette première impression, ce premier espoir. Et ainsi que le déclarait saint Paul aux Romains:

> ... *la vertu éprouvée [produit] l'espérance. Et l'espérance ne déçoit point, parce que l'amour de Dieu a été répandu dans nos cœurs par le Saint Eprit qui nous fut donné[43].*

42. Ga 4,6.
43. Rm 5,4-5.

Le langage exalté de saint Paul reflète son éveil personnel à la Réalité de l'Esprit, à l'expérience de la joie libérée, tenace et débordante, joie que Jésus prônait et qu'il communique par son Esprit. C'est l'exaltation de la prière.

Nous en sommes venus à croire que la prière exprime, dans une large mesure, notre élan vers Dieu, qu'il s'agit d'une activité dont nous sommes les instigateurs, d'un devoir que nous accomplissons pour plaire à Dieu ou pour l'apaiser. On peut y voir une part de charme, de sincérité puérile, mais la véritable prière évite de tomber dans le sentimentalisme. Nous avons été appelés à la maturité spirituelle qui nous permet, comme l'affirme saint Pierre, «*de vivre selon Dieu dans l'esprit[44]*». Or, si saint Pierre, saint Paul et le Nouveau Testament sont tous dignes d'être pris au sérieux, nous sommes obligés d'admettre que la prière suppose plus qu'une conversation avec Dieu, plus qu'une image de Dieu ou des pensées saintes. Comme le déclare saint Paul, la prière est plus que cela; et s'il est vrai que nous ne savons même pas comment prier, saint Paul ajoute: «*Pareillement l'Esprit vient au secours de notre faiblesse; car nous ne savons que demander pour prier comme il faut; mais l'Esprit lui-même intercède pour nous en des gémissements ineffables[45].*»

Ainsi, la prière procède de la vie de l'Esprit de Jésus dans le cœur de l'homme: l'Esprit qui, par sa consécration, nous unit au Corps du Christ et nous permet de retourner vers le Père avec une conscience totalement éveillée. Lorsque nous nous éveillons à la présence de l'Esprit dans notre cœur, nous prions. Et s'il en est ainsi, aucune technique ou méthode de prière n'est possible. Il n'existe que la prière, le courant d'amour entre l'Esprit de Jésus ressuscité et son Père, dans lequel nous sommes incorporés. Par conséquent, il ne saurait être question de demi-prière ou de prière occasionnelle, car l'Esprit est

---

44. 1 P 4,6.
45. Rm 8,26.

éternellement vivant dans notre cœur. Toutefois, des moments privilégiés — telles nos deux périodes de méditation quotidiennes — nous permettent de prendre parfaitement conscience de cette réalité toujours présente. Lorsque cette conscience transparaît dans nos activités ou nos préoccupations les plus diverses, nous réalisons ce que saint Paul préconisait clairement dans son exhortation aux Thessaloniciens: «*Priez sans cesse*[46].»

Tout comme l'Eucharistie est à la fois une commémoration et un événement présent et actuel, le mantra traverse les niveaux de conscience et les dimensions du temps. Il s'agit, en un sens, de notre écho au cri d'amour de l'Esprit, à toute la vie de Jésus qui retourne au Père; non pas d'une réponse raisonnée, mais d'une réponse absolue, inconditionnelle. Dans la mesure où nous en sommes conscients, il s'agit d'une réponse qui prend racine au plus profond de notre être, là où nous reconnaissons et faisons l'expérience de notre pauvreté totale et de notre dépendance absolue envers l'amour nourricier de Dieu. Notre réponse atteint ce sens absolu et voyage jusqu'à la source de notre être, dans la mesure où nous récitons le mantra avec une simplicité absolue et où nous persévérons à renoncer, durant tout le temps de la méditation, aux pensées, aux images et à la conscience de soi. Plus le mantra s'enracine et s'intègre profondément dans notre conscience, plus notre être entier participe à la réponse à l'Esprit. Le mantra vise l'intégration de tous les niveaux de notre être à la source de notre être, la source qui nous ramène à notre vrai soi, en nous éveillant grâce au don de l'Esprit de Jésus.

Le but que nous poursuivons, c'est l'accomplissement de tout notre être. C'est pourquoi nous sommes appelés à transcender nos qualités et nos facultés afin de découvrir le

---

46. 1 Th 5,17.

fondement de notre être où réside notre unité essentielle, l'essence de notre personne. Il n'y a aucun doute que l'exigence du mantra est absolue. Essentiellement, c'est l'acceptation de l'absoluité de l'amour de Dieu qui remplit notre cœur par la présence de l'Esprit de Jésus ressuscité. Nous mourons à nous-mêmes dans la simplicité implacable du mantra et par notre renoncement total à la pensée et à la parole durant toute la période de la méditation.

Toutefois, il ne s'agit pas d'une doctrine ou d'une méthode ésotérique de prière. Depuis le début, on utilise le mantra dans la tradition chrétienne de la prière, et toutes les déclarations qui font autorité dépeignent la prière comme une réalité au-delà de l'activité intellectuelle. Saint Bonaventure déclarait: *«Si cette pâques doit être parfaite, nous devons rejeter l'intelligence discursive et tourner l'apex même de notre âme vers Dieu afin d'être entièrement transformés en lui.»* Bernard Lonergan distinguait le conscient du connu. Selon lui, être conscient est l'expérience même, tandis que le connu se réfère à la compréhension et à l'évaluation de l'expérience. De même, les *Exercices spirituels* de saint Ignace exigent de distinguer clairement la prière de la réflexion. La distinction établie par Lonergan nous indique la façon d'ordonner nos priorités. Bien sûr, le mystère chrétien englobe à la fois l'expérience et son interprétation. Jésus est l'homme complet qui nous appelle à la plénitude, mais pour convenir de notre propre condition de créature, il nous faut distinguer le conscient du connu, la prière de la réflexion; dans le cas contraire, nous demeurons liés par les limitations de cette condition, et nous ne nous transcendons pas.

Encore ne suffit-il pas d'adhérer à cette distinction, mais cette vérité de l'être, nous devons la saisir avec tout notre être. Le mantra rend possible une telle intégration. Il nous prépare comme sacrifice vivant pour le Seigneur. Le mantra nous guide en toute simplicité à l'expérience chrétienne originale de la prière, la prière de l'Esprit dans notre cœur. Les fruits de cette expérience sont ceux de l'Esprit, et il est vraisemblable que notre toute première découverte, celle qui ouvrira la voie aux dons de l'Esprit, nous fera prendre conscience que nous sommes infiniment dignes d'être aimés. Il est impossible de susciter ou d'anticiper cette expérience; nous ne pouvons qu'apprendre à demeurer immobiles, silencieux et attendre avec un sentiment toujours grandissant de notre propre harmonie. Il est tout aussi impossible de forger allégrement les dons de l'Esprit, avec dogmatisme plutôt qu'autorité, avec uniformité plutôt que liberté. Il ne s'agirait là que de pures imitations des véritables qualités chrétiennes, et ces imitations contrediraient l'Évangile même qu'elles prétendent proclamer.

Nous acquérons et développons les véritables qualités chrétiennes, les fruits de l'Esprit, en faisant l'expérience de l'Esprit de Jésus qui inonde notre cœur de l'amour personnel de Dieu, et qui nous appelle à la plénitude de notre individualité dans la rencontre personnelle avec Jésus: *«Vous les reconnaîtrez par leurs fruits.»* Le renouvellement et l'enrichissement de l'Église, son rétablissement en tant que figure d'autorité dans la vie des hommes ne sont possibles que dans la mesure où ses membres vivront cette expérience au plus profond de leur cœur. Chacun des membres de l'Église est appelé à cet éveil, à cette réalité. Chacun vivra cet éveil d'une manière qui lui est propre et selon sa personnalité unique, pour son plein épanouissement, tel que prévu dans le plan de l'amour mystérieux de Dieu.

Je ne prétends pas que la méditation soit l'unique façon d'atteindre ce but, mais plutôt que c'est le seul chemin que j'ai pu découvrir. Mon expérience m'a enseigné que la méditation est le chemin de la simplicité absolue qui nous permet de devenir pleinement conscients de l'Esprit envoyé par Jésus dans notre cœur, et qu'il s'agit d'une expérience éprouvée qui nous fut transmise par la tradition chrétienne, des temps apostoliques à nos jours.

Le Père

Romains 8,15

Si on instaurait un jour un système politique fondé sur l'Évangile de Jésus, l'homme réaliserait un idéal qui le fait rêver depuis toujours: la révolution qui se renouvelle spontanément. Toutefois, il devrait d'abord faire en sorte que cet idéal devienne une réalité quotidienne, car le Royaume de Dieu sur terre commence dans le cœur humain: «*Sois converti dans ton cœur et crois en l'Évangile.*» C'est le caractère incontournable de tout idéalisme. Tout idéal doit être réalisé dans la vie de l'individu d'abord et avant tout avant d'accéder au statut de salut universel.

Cela signifie que nous devons être capables nous-mêmes de reconnaître la vie de Dieu dans toutes les circonstances et dans tous les gens que nous côtoyons, et de l'identifier pour une génération sceptique en quête de signes. Enfin, il faut replacer cette notion dans le contexte de cette révélation ultime: Jésus a apporté aux hommes la vie de Dieu dans sa propre personne. Pour réussir à voir Dieu aussi bien chez tous les peuples de la terre et dans leurs diverses croyances que dans la solitude de nos villes ou dans nos tristes banlieues, il nous faut d'abord découvrir son image à l'intérieur de nous-mêmes. Ce n'est qu'à partir de ce moment que nous pourrons accepter librement la générosité de l'amour de Dieu provenant des profondeurs de son être même et qui se répand partout et en tout. Nous devons acquérir cet esprit de liberté dont parle saint Paul aux Galates: «*Mais si l'Esprit vous anime, vous n'êtes pas sous la Loi[47].*»

À mon avis, la méditation confirme l'aspect essentiellement naturel de la croissance spirituelle. Parce que Jésus n'est plus à nos côtés dans son incarnation phy-

---

47. Ga 5,18.

sique, il ne nous reste qu'à réaliser la vie qui grâce à lui nous est rendue possible et à stimuler notre potentiel par une conscience plus claire et plus large. La lumière qui nous éclaire baigne également toute la création, mais elle pénètre en nous par une porte étroite, produit de la concentration, de la convergence de tout notre être, de toutes nos énergies et de toutes nos facultés vers un seul point: «... *étroite est la porte et resserré le chemin qui mène à la Vie[48]*», affirmait Jésus.

Sartre a écrit: «*La seule chose qui importe est l'engagement total.*» C'est assurément la seule chose qui authentifie nos efforts et prouve notre sincérité. La voie de la plénitude de vie est celle de l'engagement total de notre personne envers l'Autre, la concentration complète et harmonieuse de la pensée, du corps et de l'esprit sur ce qui constitue le centre de notre être. Dans notre cheminement à l'intérieur du silence de notre engagement, nos croyances et nos valeurs sont de peu d'importance, car, ainsi que le répétait Thomas Merton, elles ne constituent pour la plupart que les composantes familières du langage et de l'imagination. Toutefois, tout homme sait bien, au fond de son cœur, que la clé de l'énigme de son existence se situe au-delà de ces composantes, dans le fait de se concentrer sur le centre de son être, là où il sait, d'une certaine façon, qu'il pourra trouver la source et le sens de sa vie.

Il n'est pas possible, à proprement parler, d'atteindre ou d'acquérir cet état parfait d'engagement et de concentration. «*Nous ne savons pas comment prier*», déclarait saint Paul. Aucun raccourci ou truc quelconque ne peut offrir de résultats rapides; il n'y a pas de mysticisme instantané, à tout le moins aucun qui n'ait pour effet d'alourdir un esprit indiscipliné et non préparé. Cependant, il existe un moyen de nous préparer à l'émergence de la lumière de

---

48. Mt 7,14.

l'Esprit, dans un processus naturel qui est en lui-même un don de Dieu. Le mantra calme l'esprit et fait converger toutes nos facultés vers un seul point: un état de simplicité absolue qui n'exige rien de moins que tout.

Nous ne serons aptes à tout recevoir que lorsque nous aurons tout fait converger vers ce point, renoncé à tout. Jusqu'à ce moment, la véritable générosité et la richesse inouïe du message de l'Évangile nous paraissent incroyables. L'extravagance des proclamations lancées par les auteurs du Nouveau Testament nous abasourdit. Nous les qualifions de métaphores et tentons de les nuancer pour les ramener à de simples formulations théologiques. Mais l'essence du message de Jésus réside dans une générosité sans borne, un don de soi absolu du Dieu infini. C'est ce que proclame le Nouveau Testament: «*Celui qui s'unit au Seigneur, au contraire, n'est avec lui qu'un seul esprit[49]*»; «*mais alors je connaîtrai comme je suis connu[50]*»; «*bien-aimés, dès maintenant, nous sommes enfants de Dieu, et ce que nous serons n'a pas encore été manifesté. Nous savons que lors de cette manifestation nous lui serons semblables, parce que nous le verrons tel qu'il est[51].*»

Si Jésus ne nous avait pas affirmé lui-même qu'il désirait nous faire partager les enseignements du Père, nous n'aurions jamais osé le croire. En fait, peu de gens veulent le croire parce que, du moins sur le plan conceptuel (c'est-à-dire avant d'en avoir fait l'expérience personnelle), ses enseignements semblent indiquer que toute personne est engloutie en Dieu. Ce n'est que lorsque nous sommes conduits par l'Esprit que nous faisons nos premiers pas dans cette expérience, que nous commençons à comprendre la signification de cette affirmation de Teilhard de Chardin: «*Dans tous les domaines, l'union différencie.*» Dans la surabon-

---

49. 1 Co 6,17.
50. 1 Co 13,12.
51. 1 Jn 3,2.

dance d'amour, nous devenons la personne que nous sommes appelés à être.

Jésus voyait sa propre mission comme la proclamation du Père: la révélation aux hommes de la personne qu'il avait rencontrée dans les profondeurs de son cœur d'homme. Son union avec les hommes, le fait de nous appeler amis et frères, de nous offrir son amour qui embrasse toute l'humanité par l'Esprit: tout cela contribue à confirmer ce dont il nous a assuré lui-même. Nous sommes en effet appelés à la même connaissance et à la même communion avec le Père, au même accomplissement et à la même authentification de notre être qu'il possédait en tant qu'homme et qu'il nous communique en tant que Verbe fait chair. Lorsqu'il envoie l'Esprit dans nos cœurs, Jésus nous transmet tout ce qu'il a appris du Père[52]. Il ne nous cache rien, ni secret, ni intimité d'un amour personnel. Sa véritable nature le pousse à tout donner de lui-même; la puissante et formidable impulsion d'amour émanant du Père empêche Jésus de s'accorder toute forme de privilège spécial ou de non-communication. L'édification du Corps du Christ correspond précisément au profond désir de Jésus d'inonder toute notre conscience humaine avec son Esprit. Rien ne peut empêcher la réalisation de ce désir, sauf le refus de l'homme de recevoir, de reconnaître et de s'éveiller à ce don de l'amour personnel de Dieu.

Au cœur du mystère chrétien, de la vie de Jésus lui-même, se trouve le mystérieux paradoxe de la vie procédant de la mort. Toutefois, pour éviter d'être confondus par ce paradoxe jamais résolu et de tomber dans les extrêmes de la superstition ou du cynisme, nous devons atteindre un équilibre intérieur, ce qui, selon l'Écriture, correspond à l'un des dons de l'Esprit: la maîtrise de soi. Voilà précisément en quoi consiste le fruit de la méditation, cette voie du milieu, ce processus de retour au centre qu'est la

---

52. Jn 15,15.

prière silencieuse. Cela diffère grandement de la simple passivité ou de l'état de quiétude. Nous ne pouvons recevoir l'éveil de notre propre esprit à l'Esprit de Jésus de façon passive, comme s'il s'agissait d'une expérience préfabriquée importée de l'extérieur ou comme si nous n'étions pas des personnes créées à l'image de Dieu, mais des objets déguisés en personnes. Notre éveil est, en lui-même, la conscience de notre participation à la vie de Dieu, lui qui est la source de notre personne, la véritable puissance qui nous permet d'accepter son don qu'est notre être. Il s'agit donc d'une réponse donnée en toute liberté, d'une communication tout à fait personnelle, d'une libre acceptation.

Notre naissance et notre fin procèdent de l'infinie générosité de Dieu, de cette prodigalité d'amour par laquelle il se transcende dans chacune de ses manifestations de lui-même. L'esprit humain n'est pas conçu pour être capable de rationaliser tout cela. Cependant, il est vrai qu'il nous est possible d'entrevoir la nature de la transcendance grâce à notre capacité de reconnaître ce paradoxe. Mais nous revenons toujours à la réalité de son incroyable générosité, une générosité qui, même sur le plan de l'expérience humaine, est source de liberté et de joie. En effet, l'homme ressemble le plus à Dieu lorsqu'il se donne sans réserve, lorsqu'il aime; et c'est sans mesure que Dieu se donne à nous[53]. Il nous a donné son esprit; Son amour a inondé nos cœurs.

La théologie, en gardant constamment cette vision au centre de sa recherche, doit mener à un sentiment de respect, d'émerveillement et de joie; à une humilité qui nous libère du sentiment de notre propre importance. Elle doit nous aider à saisir que Dieu nous transcende de façon absolue et qu'il est cependant plus près de nous que nous ne le sommes de nous-mêmes. Toute discussion au sujet de Dieu n'a de valeur que dans la mesure

53. Jn 3,34.

où elle est une véritable révélation. Voilà, je crois, la signification de cette affirmation d'Évagre le Pontique: *«Si vous êtes un théologien, vous priez véritablement, si vous priez véritablement, vous êtes un théologien.»*

La méditation ne constitue pas une technique de prière. Cependant, elle est une voie incroyablement simple vers une prise de conscience absolue de la nature de notre être, de sa réalité centrale et authentique, qui est l'Esprit priant dans notre cœur: «Abba, Père». Je dis bien une voie «simple», et non «facile». La voie de la simplicité devient un pèlerinage qui nous fait découvrir par expérience personnelle la difficulté de renoncer à notre vie. Toutefois, nous n'effectuons pas ce pèlerinage dans la solitude, mais entourés de la communauté de fidèles animés d'une même persévérance, et guidés par l'Esprit présent dans notre cœur. Dans la mesure où nous nous abandonnons, dans la même mesure et au centuple, nous sommes restaurés à nous-mêmes. Les fruits de la simplicité radicale du mantra sont une joie indescriptible et une paix qui dépassent tout entendement.

La multiplicité des pensées, la mobilité des mots se réduisent à un seul petit mot, le mantra. Selon Jean Cassien, le mantra *«embrasse tous les sentiments de la nature humaine»* et *«englobe toutes nos pensées[54]»*. Lorsqu'il s'enracine en nous, le mantra nous mène à un point d'unité où nous acquérons la simplicité nécessaire pour voir, recevoir et connaître le don infini de l'amour personnel de Dieu. Le mantra nous mène à cette joie que Jésus a promise à tous ceux qui persévèrent dans le pèlerinage de la simplicité, la même joie que saint Paul souhaitait aux Philippiens:

---

54. *Conférence* 10,10-12.

Réjouissez-vous sans cesse dans le Seigneur, je le dis encore, réjouissez-vous. Que votre bienveillance soit connue de tous les hommes. Le Seigneur est proche... La grâce du Seigneur Jésus Christ soit avec votre esprit[55]!

---

55. Ph 4,4-5,23.

BALISES SUR LE CHEMIN
DE LA MÉDITATION

Les thèmes développés dans les pages suivantes vous guideront dans la voie du silence nécessaire à la méditation. Ils sont conçus pour vous aider à amener votre esprit à la paix, à la concentration; à baliser la direction à suivre pour méditer, celle qui mène au centre de votre être. Ils vous aideront à persévérer, à renouveler ce pèlerinage avec foi, amour et confiance en déployant toute l'énergie propre à chaque nouveau départ. Lorsqu'il s'agit de méditation, nous sommes tous des débutants.

Ces balises sont réparties en douze thèmes indépendants les uns des autres. Je vous recommande d'en lire un seul à la fois, puis de commencer votre méditation.

Souvenez-vous: pour bien méditer il vous faut d'abord trouver un endroit aussi tranquille que possible. Installez-vous confortablement tout en prenant une bonne posture, gardez le dos bien droit et respirez avec calme et régularité. Commencez alors à dire votre mantra, doucement, paisiblement et en toute simplicité. Pour méditer, il suffit de répéter le mantra fidèlement, avec persévérance.

Ces thèmes ne sont pas destinés à vous fournir matière à réflexion durant votre méditation, mais plutôt à vous encourager à persévérer et à faire preuve de fidélité. Si vous êtes capable de vous concentrer sur chacun des thèmes pendant environ cinq minutes, vous apprendrez à maîtriser l'art de la méditation, qui est essentiellement concentration. Cependant, lorsque vous méditerez, votre concentration portera non pas sur des idées ou des images, mais sur votre mantra et sur le silence auquel il vous conduira.

La tradition du mantra I

Au cours de mes entretiens, j'ai souvent observé que le non-chrétien et même celui qui n'a aucune religion comprennent mieux que quiconque en quoi consiste la méditation. Il est terriblement désolant de constater que, de prime abord, de nombreux pratiquants, prêtres, moines et religieuses semblent associer le mantra à une nouvelle et mystérieuse technique de prière, à une quelconque méthode ou forme de relaxation exotiques qui ne sauraient être qualifiées de chrétiennes. Trop de chrétiens ont perdu contact avec leur propre tradition de prière et ne bénéficient plus comme ils le devraient des conseils avisés des grands maîtres de la prière. Ces derniers sont d'ailleurs unanimes à affirmer que dans la prière, l'initiative ne nous appartient pas. Nous ne parlons pas à Dieu, nous écoutons sa parole à l'intérieur de nous. Nous ne le cherchons pas, c'est lui qui nous a trouvés. Walter Hilton, au quatorzième siècle, exprimait cela très simplement: *«Vous ne faites rien vous-mêmes, vous Lui permettez simplement de travailler dans votre âme.»* Sainte Thérèse s'exprime dans le même sens lorsqu'elle nous rappelle que la seule chose à faire lorsque nous prions est de nous disposer à l'écoute et que le reste relève de la puissance de l'Esprit qui nous guide.

Les mots que nous utilisons pour exprimer notre expérience spirituelle changent; la réalité de l'Esprit est, quant à elle, immuable. Par conséquent, pour reconnaître la même réalité dans différents témoignages, la lecture des maîtres de la prière ne suffit pas; il faut pouvoir se baser sur notre expérience personnelle, si limitée soit-elle. Par exemple, l'expérience de prière professée par Hilton et sainte Thérèse est la même que celle qui amena saint Paul à affirmer: *«Pareillement l'Esprit vient au secours de notre faiblesse; car nous ne savons que demander pour prier comme il faut.*» En langage plus moderne, on peut dire qu'avant de pouvoir prier, nous devons d'abord atteindre un état de calme, de concentration. Ce n'est qu'à ce moment qu'il nous est possible de prendre conscience avec amour de l'Esprit de Jésus qui nous habite. À cela, de nombreux chrétiens pourraient toujours rétorquer: «D'accord, mais il s'agit là d'un privilège réservé aux saints, aux spécialistes de la prière», comme si le silence et la tranquillité n'étaient pas des éléments universels de l'esprit humain. Ce genre de fausse humilité obstinée découle de l'ignorance: les interlocuteurs de saint Paul à Rome, à Corinthe et à Éphèse n'étaient pas des spécialistes, des carmélites et des chartreux, mais plutôt des gens ordinaires, des maris, des femmes, des bouchers et des boulangers. Les chrétiens d'aujourd'hui font aussi preuve d'une méconnaissance de l'enseignement spécifique de la prière professé ultérieurement par d'autres maîtres.

Sainte Thérèse d'Avila était persuadée que le fait de prier avec sincérité conduisait à l'*oraison de quiétude* dans un temps relativement court, soit six mois ou un an. Selon l'abbé Marmion, la première année au monastère devait mener le novice à la *prière contemplative*. Pour sa part, saint Jean de la Croix affirmait que le fait de se rendre compte que la pensée discursive au moment de la prière devenait une distraction néfaste constitue le premier indice que nous sommes prêts à entrer dans le silence de la prière. Néanmoins, une espèce d'humilité affectée et présomptueuse nous tient à l'écart de l'appel de l'amour rédempteur de Jésus. Nous répugnons souvent à admettre que nous sommes les malades, les pécheurs que Jésus est venu guérir. Nous préférons l'isolement défensif au risque d'une rencontre personnelle avec l'Autre dans le silence de notre propre vulnérabilité.

Lorsque nous méditons, nous détournons notre conscience de nous-mêmes, c'est-à-dire de l'analyse égocentrique de nos faiblesses. Selon l'auteur du *Nuage d'inconnaissance:* «*Si le souvenir d'actions passées s'interpose entre toi et Dieu... tu t'avanceras vaillamment par-dessus, mais prudemment, dans un pieux et joyeux élan d'amour, essayant de percer l'obscurité au-dessus de toi*[56].» La prière nous permet de prendre profondément conscience de la présence de Dieu dans le Christ. Notre voie est celle du silence. La voie du silence est celle du mantra.

---

56. *Le nuage d'inconnaissance,* chapitre 6.

La tradition du mantra II

Jésus nous appelle à la plénitude de vie; il ne nous enjoint pas de prendre conscience à contrecœur de la véritable beauté et de la merveille de notre être. Le mantra est une ancienne tradition dont le but est d'accepter l'invitation lancée par Jésus.

On le trouve dans la vieille coutume juive qui *bénit le Seigneur en tout temps*. On le retrouve également dans l'Église chrétienne des premiers temps (par exemple dans le Notre Père, qui est composé de courtes expressions rythmées en langage araméen original), ainsi que dans la tradition orthodoxe de la prière de Jésus, celle-là même qu'il recommandait: «*Mon Dieu aie pitié du pécheur que je suis*[57]*!*» La prière de Jésus telle que rapportée dans l'Évangile nous conduit à des conclusions similaires. Ses disciples l'imploraient: «*Seigneur, montre-nous comment prier.*» Or, l'enseignement de Jésus était la simplicité même:

> *Et quand vous priez, n'imitez pas les hypocrites... Retire-toi dans ta chambre, ferme sur toi la porte, et prie ton Père qui est là, dans le secret... Dans vos prières, ne rabâchez pas comme les païens: ils s'imaginent qu'en parlant beaucoup ils se feront mieux écouter. N'allez pas faire comme eux; car votre Père sait bien ce qu'il vous faut, avant que vous le lui demandiez*[58].

Dans le jardin de Gethsémani, Jésus prie en répétant les mêmes paroles[59], et lorsqu'il s'adresse au Père au nom de la foule, le mot *Abba* est constamment sur ses lèvres, le même mot qui, selon saint Paul, décrit l'Esprit de Jésus implorant sans cesse dans nos cœurs.

57. Lc 18,13.
58. Mt 6,5-8.
59. Mc 14,39; Mt 26,44.

Le conseil pratique réitéré par les maîtres de la prière se résume à une simple injonction: «Dites votre mantra; utilisez ce petit mot.» L'auteur du *Nuage d'inconnaissance* recommande de «*prier non point par mots et nombreuses paroles, mais en un petit mot d'une brève syllabe. Attache-le si ferme à ton cœur, que jamais il ne s'en écarte, quoi qu'il advienne. Ce mot sera ton bouclier et ton glaive [...]. Et avec lui tu rabattras toutes manières de pensée sous le nuage de l'oubli[60].*» Dans sa célèbre lettre de Michaelmas 1920 de Downside, l'abbé Chapman décrivait la façon simple et fidèle de dire le mantra, découverte qu'il devait à sa courageuse persévérance dans la prière plutôt qu'à l'enseignement de maîtres. Il avait redécouvert une tradition monastique simple et durable que Jean Cassien avait fait connaître en Occident à la fin du quatrième siècle. Quant à Cassien, il en avait reçu l'enseignement des saints hommes du désert qui estimaient que l'origine de cette tradition remontait aux temps apostoliques.

Le respect dont jouit la tradition du mantra dans la prière chrétienne est attribuable à son absolue simplicité. Le mantra répond à toutes les exigences des maîtres de la prière, car il nous guide vers une harmonieuse et attentive tranquillité d'esprit, de corps et d'âme. La méditation n'exige aucun talent ou don spécial, si ce n'est la détermination et le courage de persévérer. Selon Jean Cassien, «*Nul n'est privé de la pureté du cœur parce qu'il est inculte; l'ignorance ne constitue pas davantage un obstacle, car la pureté du cœur est accessible à tous ceux qui, par la répétition du mantra, gardent leur esprit et leur cœur attentifs à Dieu[61].*» Notre mantra est l'ancienne prière araméenne: «Maranatha, Maranatha», «Viens Seigneur, viens Seigneur Jésus».

---

60. *Le nuage d'inconnaissance,* chapitre 7, 39.
61. *Conférence,* 10,14.

Apprendre à dire le mantra I

Apprendre à méditer, c'est apprendre à dire le mantra, et, en raison de la simplicité inhérente à ce processus, il convient de nous assurer de bien le comprendre.

Plus nous devenons fidèles au mantra, plus il s'enracine profondément en nous. Comme vous le savez, le mantra que je vous recommande est «MARA-NATHA», une ancienne prière araméenne qui signifie: «Viens Seigneur, viens Seigneur Jésus.» Je vous suggère de le dire mentalement, silencieusement, en appuyant également sur chacune des quatre syllabes, MA-RA-NA-THA. Habituellement, nous commençons à dire le mantra comme si nous le prononcions silencieusement dans notre esprit, quelque part dans notre tête. Mais plus nous méditons, plus le mantra nous devient familier, moins il nous paraît étranger et moins il ressemble à un intrus dans notre conscience. Nous découvrons qu'il est plus facile de répéter le mantra durant tout le temps de la méditation. Il nous semble enfin qu'il résonne dans notre cœur et nous avons alors atteint ce stade où le mantra s'y enracine.

Aucune métaphore ne réussit vraiment à expliquer cette expérience de façon satisfaisante, mais il est parfois réconfortant de savoir que l'expérience individuelle de la méditation correspond à l'expérience des méditants en général. Ainsi, on peut comparer ce stade où le mantra résonne dans notre cœur à l'action d'une légère poussée donnée à un balancier pour le faire osciller tranquillement à un rythme régulier. C'est à ce moment que notre méditation commence vraiment. Nous commençons réellement à nous concentrer en nous détournant de nous-mêmes, car à partir de ce moment, au lieu de dire le mantra ou de l'entendre résonner, nous parvenons à l'écouter, enveloppés dans une attention de plus en plus profonde. Mon maître avait l'habitude de dire: «Quand vous atteignez ce stade de l'écoute, vous éprouvez quelque chose de semblable à ce que l'on expérimenterait au cours de l'ascension difficile d'une montagne, pendant que résonnerait le mantra au creux de la vallée.»

La méditation est essentiellement l'art de la concentration, et ce précisément parce que plus nous grimpons, moins nous percevons le son du mantra au creux de la vallée: nous devons alors l'écouter avec plus d'attention et de sérieux. Et arrive le jour où nous entrons dans le *nuage d'inconnaissance*, à l'intérieur duquel il y a le silence, le silence absolu, et où le mantra n'est plus du tout audible.

Nous devons cependant nous rappeler qu'il est inutile de tenter d'augmenter le rythme de la méditation ou d'accélérer le processus naturel par lequel le mantra, répété avec une fidélité absolue, s'enracine en nous. Rien ne sert de se poser des questions comme celles-ci: «À quel niveau suis-je rendu? Est-ce que je dis correctement le mantra? Est-ce que je le fais résonner? Est-ce que j'écoute le mantra?» En agissant de la sorte, nous faisons de la «non-méditation», s'il est permis d'utiliser une telle expression, car nous nous concentrons sur nous-mêmes, accordant la priorité à notre ego et nous préoccupant d'abord de nous-mêmes. La méditation exige une simplicité totale. Le mantra nous conduit à cette simplicité, mais l'art de la méditation consiste à le dire du début à la fin du temps de méditation.

Apprendre à dire le mantra II

Je ne saurais trop insister sur l'importance de continuer à dire le mantra durant tout le temps de la méditation. Lorsque nous commençons à méditer, il est possible d'atteindre assez rapidement un état de paix, de bien-être et même d'euphorie. Le fait de répéter le mantra peut alors sembler une distraction. Nous ne voulons pas quitter ce plateau agréable et nous cherchons à demeurer là où nous sommes, à nous y établir et à cesser notre ascension du flanc de la montagne. Nous cessons alors de dire le mantra. Par conséquent, de nombreuses personnes traversent de longues et inutiles périodes où elles ne progressent plus. Elles troquent une possible conscience élargie et une connaissance approfondie de l'Esprit pour une espèce de piété flottante, d'anesthésie religieuse.

Le grand maître de la prière du quatrième siècle, notre guide Jean Cassien, avait déjà noté ce danger en faisant allusion à ce qu'il appelait la *pax perniciosa*, la paix pernicieuse. Par cette expression imagée, Cassien voulait nous mettre en garde contre la tentation de dire: «C'est assez, j'y suis arrivé.» *Perniciosa* signifie destructrice, fatale. Je suis personnellement convaincu que plusieurs ne progressent pas comme ils le devraient dans la prière, qu'ils n'acquièrent pas la liberté à laquelle elle les appelle, simplement parce qu'ils choisissent cette dangereuse léthargie. Ils abandonnent trop tôt leur difficile pèlerinage vers le sommet de la montagne; ils abandonnent l'incessante répétition du mantra.

Lorsque nous commençons à méditer, il faut répéter le mantra pendant les vingt ou trente minutes que dure la méditation, indépendamment de l'humeur dans laquelle on se sent et sans tenir compte des réactions que l'on peut avoir. En persévérant dans la répétition du mantra, nous le faisons ensuite résonner en nous durant tout le temps de la méditation et restons parfaitement calmes face aux distractions ou émotions qui peuvent se présenter. Enfin, lorsque le mantra s'enracine dans notre cœur, nous devons l'écouter sans cesse tout en demeurant parfaitement attentifs.

Je souligne encore ce qui constitue l'essentiel et peut-être même le seul conseil valable en ce qui concerne la méditation: *dites votre mantra.* Il ne s'agit pas d'une doctrine facile à accepter ni à suivre. Lorsque nous commençons à méditer, nous espérons tous faire une sorte d'expérience mystique instantanée et nous avons tendance à surestimer les premières expériences exceptionnelles que le processus de méditation nous apporte. Mais cela n'a aucune importance. La seule chose qui importe est de persévérer dans la répétition du mantra, d'acquérir une stabilité grâce à cette discipline qui nous prépare à franchir les versants les plus abrupts de la montagne.

Il n'y a pas lieu de s'inquiéter outre mesure des motifs qui nous poussent à méditer. L'initiative ne vient pas de nous, mais de Notre Seigneur. Jean Cassien exprime cela de cette façon: «*Il a Lui-même fait jaillir l'étincelle de bonne volonté du silex de nos cœurs.*» Et maintenant, je vous invite à commencer votre méditation dans la simplicité du cœur, en répétant humblement et fidèlement le mantra du début à la fin de la séance.

Le renoncement à soi

Dans l'Évangile de saint Marc, Jésus déclare: «*Si quelqu'un veut venir à ma suite, qu'il se renie lui-même, qu'il se charge de sa croix et qu'il me suive[62].*» Voilà exactement pourquoi nous méditons, pour obéir à cet appel absolument fondamental de Jésus qui constitue la base de toute notre foi chrétienne: renoncer à soi-même pour pouvoir cheminer avec le Christ dans son retour vers le Père.

La répétition du mantra est une discipline qui nous aide à transcender toutes les limitations de notre ego étroit et isolé. Le mantra nous amène à faire l'expérience de la liberté qui règne au centre de notre être. «*Car le Seigneur, c'est l'Esprit, et où est l'Esprit du Seigneur, là est la liberté[63]*», nous dit saint Paul. La méditation nous initie à cette liberté en nous aidant à nous en remettre à l'Autre, à ne plus penser à soi. C'est ce que Jésus veut dire par renoncer à soi-même.

Aujourd'hui, nous ne savons plus vraiment ce que cela signifie que de renoncer à soi. En effet, le renoncement à soi n'est pas une expérience familière ou même tout à fait compréhensible à nos contemporains, principalement parce que notre société met plutôt l'accent sur la réussite personnelle, sur des principes et des comportements qui relèvent de l'individualisme. Le matérialisme de notre société de consommation établit le «ce que je veux» au centre de notre vie, et ramène «l'autre» à la qualité de simple objet dont nous pouvons disposer selon notre plaisir ou à notre avantage. Toutefois, l'autre n'est réellement Autre que si nous l'approchons avec révérence pour lui-même et en tant que lui-même. Nous devons apprendre à lui porter une attention com-

---

62. Mc 8,34.
63. 2 Co 3,17.

plète, plutôt que de s'intéresser seulement à l'effet qu'il peut avoir sur nous. Si nous commençons à faire de l'autre un objet, alors sa réalité, son caractère unique et sa valeur essentielle nous échappent. Il devient non pas l'autre, mais une projection de nous-mêmes.

De nombreuses personnes, aujourd'hui comme hier, ont confondu renoncement à soi et rejet de soi. Or, la méditation n'est pas une fuite de soi, une tentative d'échapper à la responsabilité de son être, de sa vie et de ses rapports avec autrui. La méditation est davantage une affirmation de soi-même, non pas du soi engagé dans telle ou telle responsabilité particulière, ou du soi qui désire ceci ou cela — ces aspects du soi sont illusoires; ils deviennent de petits ego lorsque nous les isolons du point central de notre être — mais du soi où notre être irréductible existe en complète harmonie avec l'Autre, cet Autre qui est la source de notre être et celui par qui nous existons. C'est ce véritable soi, le soi complet que nous affirmons dans le silence de la méditation.

Cependant, on ne peut affirmer notre véritable soi par la force, en essayant de le posséder ou de le maîtriser. Nous nous mettrions alors dans une position absurde où notre ego tenterait de commander au soi, où l'irréel régenterait la réalité. C'est ce que signifient ces paroles de Niebuhr: «*Le soi ne se réalise pas pleinement lorsque la réalisation du soi constitue le but visé.*» Dans la méditation, nous nous affirmons en devenant calmes, silencieux; nous permettons ainsi à la réalité de notre véritable soi de devenir de plus en plus apparente, et nous permettons à sa lumière de rayonner dans tout notre être au cours d'un processus naturel de croissance spirituelle. Nous ne cherchons pas à faire quoi que ce soit. Nous nous permettons simplement d'être. Lorsque nous renonçons à nous-mêmes, nous nous trouvons dans un état de liberté et de réceptivité qui nous permet d'entrer en relation avec l'Autre — condition nécessaire à notre prise de position en sa faveur — et de lui dire, autrement qu'avec des paroles, «je t'aime».

Mais ce mouvement du soi vers l'Autre n'est possible que lorsque l'on se détache de soi, que lorsque notre conscience ne se porte plus vers le moi, mais plutôt vers le toi. L'obsession de soi-même restreint et limite le soi. Au contraire, le renoncement à soi le libère afin qu'il puisse atteindre son véritable objectif: aimer l'Autre. La méditation est un processus simple et naturel par lequel notre être véritable se révèle par une sincère réceptivité à l'Esprit de Jésus qui habite nos cœurs. Cette révélation se fait jour lorsque nous renonçons aux manifestations extérieures de notre conscience telles que les pensées, les paroles et les images. En nous détachant de celles-ci, nous atteignons la conscience même. Nous devenons alors silencieux parce que nous sommes entrés dans le silence et sommes entièrement tournés vers l'Autre. Dans ce silence parfaitement conscient, entièrement libre, nous nous ouvrons naturellement au Verbe qui procède du silence, le Verbe même de Dieu, en qui nous sommes appelés à être et en qui le Créateur nous fait exister.

Il est le Verbe vivant à l'intérieur de nous. Notre foi nous affirme que nous sommes totalement incorporés à lui, mais nous avons besoin de le savoir parfaitement, dans la largeur, la longueur, la hauteur et la profondeur de notre esprit, de le savoir quoique cela dépasse toute connaissance. Le silence nous mène à cette connaissance dont la simplicité est telle qu'aucune pensée ou image ne pourra jamais la contenir ou la représenter. En renonçant à soi, nous entrons dans le silence et portons toute notre attention vers l'Autre. La vérité qui nous sera révélée, c'est l'harmonie de notre Soi avec l'Autre. Le poète adepte du soufisme exprime cela dans ces mots: *«J'ai vu mon Seigneur avec les yeux de mon cœur et lui ai demandé: "Qui es-tu Seigneur?" "Toi-même", répliqua-t-il.»*

Jean Cassien

Nous ne lirions plus les épîtres de saint Paul aujourd'hui s'il n'était pas vrai que l'expérience humaine de l'Esprit est essentiellement la même dans toutes les traditions, parce qu'elle est essentiellement la même rencontre avec l'amour rédempteur de Dieu en Jésus-Christ qui est le même hier, aujourd'hui et toujours. L'importance de cette vérité pour nous aujourd'hui, c'est qu'elle nous fait réaliser que même si personne ne peut entreprendre ce pèlerinage à la place d'un autre, nous pouvons quand même bénéficier de l'expérience et de la sagesse de ceux qui nous ont précédés sur ce chemin. À son époque et pour ses contemporains, Jésus était justement perçu comme un maître qui avait atteint la lumière par sa fidélité et sa persévérance.

L'histoire chrétienne nous montre des hommes et des femmes de prière qui ont rempli cette mission spéciale de guider leurs contemporains ainsi que les générations suivantes vers la même lumière, la même renaissance dans l'Esprit prêchée par Jésus. L'un de ces maîtres, Jean Cassien, qui vivait au quatrième siècle, se classe parmi les maîtres les plus influents de la vie spirituelle en Occident. L'importance particulière accordée à Jean Cassien en tant que maître et source d'inspiration de saint Benoît, et ainsi du monachisme occidental, est liée au rôle qu'il a joué en apportant au monde occidental la tradition spirituelle de l'Orient.

Le pèlerinage de Cassien débute par sa propre quête d'un maître, d'un maître de la prière, un maître qu'il n'a pas pu trouver dans son monastère de Bethléem. À la manière de milliers de jeunes de notre temps qui se tournent vers l'Orient à la recherche de liberté et d'autorité personnelle, Cassien et son ami

Germain se sont rendus dans le désert d'Égypte, où, au quatrième siècle, se trouvaient les chercheurs de Dieu les plus saints et les plus réputés. Dans ses écrits, notamment dans ses *Conférences,* la personnalité de Cassien ne se distingue pas plus que celle de saint Benoît dans sa *Règle,* qui s'inspire d'ailleurs grandement de Jean Cassien. Mais nous avons l'impression qu'il émane une force de Cassien, une force qui, comme elle l'a fait chez saint Benoît, lui a permis d'atteindre le but de son enseignement: la transcendance de soi.

Les qualités particulières de Cassien, qui lui confèrent son autorité et sa franchise exceptionnelles, sont sa capacité à écouter et son don de communiquer les vérités qu'il a entendues et qu'il a faites siennes. C'est en écoutant avec une totale attention l'enseignement du saint abbé Isaac que, pour la première fois, le cœur de Cassien s'est enflammé pour la prière et qu'il a pris la ferme résolution d'y persévérer. L'abbé Isaac parlait avec éloquence et sincérité, mais, comme l'explique Cassien dans la conclusion de sa *Première Conférence:* «*Avec ces paroles de saint Isaac, nous fûmes abasourdis plutôt que satisfaits, car nous sentions que, bien que l'excellence de la prière nous avait été démontrée, nous n'étions pas encore parvenus à comprendre sa nature ni la puissance qui pouvaient nous permettre de poursuivre fidèlement[64].*»

Son expérience se révèle semblable à celle de nombreuses personnes de notre temps qui ont entendu des témoignages de prière inspirants mais qui ont été laissées sans directives pratiques pour leur permettre de prendre réellement conscience de l'Esprit dans leur cœur. Après quelques jours, Cassien et Germain sont donc retournés en toute humilité vers l'abbé Isaac pour lui poser cette simple question: «Comment devons-nous prier? Enseigne-

---

64. *Conférence* 9,36.

nous, montre-nous.» La réponse de l'abbé Isaac à cette question, que l'on peut lire dans la *Dixième Conférence*, a eu une influence décisive sur la compréhension occidentale de la prière jusqu'à nos jours. Premièrement, elle montre que la prière constitue à la fois la prise de conscience et l'expérience de notre propre pauvreté, de notre absolue dépendance de Dieu, qui est la source de notre être. Mais il s'agit également de l'expérience de notre rédemption, de notre enrichissement par l'amour de Dieu en Jésus. Ces aspects connexes de la prière, celui de la pauvreté et celui de la rédemption, amènent Cassien à nommer cet état auquel nous accédons dans la prière «grande pauvreté». Selon Cassien: *«L'âme doit sans cesse revenir au mantra, jusqu'à ce qu'elle ait acquis la fermeté de refuser et rejeter loin de soi les richesses et les amples avoirs de toutes sortes de pensées, et qu'elle se restreigne ainsi à la pauvreté de cet humble verset*[65]*...»* Ceux qui réalisent cette pauvreté en arrivent facilement à la première des béatitudes: *Bénis les pauvres en esprit car le Royaume des cieux leur appartient.*

Selon Cassien, la vie spirituelle, la persévérance dans la pauvreté d'un humble verset, est un passage. Par la persévérance, nous passons de la tristesse à la joie, de la solitude à la communion. Et, contrairement aux ascètes égyptiens pour qui la mortification constituait une fin en soi, Cassien enseigne qu'il s'agit simplement d'un moyen pour atteindre une fin: la pleine conscience de la vie de l'Esprit qui nous renouvelle sans cesse, donnant une vie nouvelle à nos corps mortels. De la même façon, il perçoit la communauté religieuse comme un moyen d'amener chaque individu à une prise de conscience de sa communion avec toutes choses en Jésus. Tout comme le mantra est le sacrement de notre pauvreté dans la prière, de même, dans la communauté,

---

65. *Ibid.* X,11.

l'honnêteté et la franchise absolues dans nos relations avec les autres et, par-dessus tout, avec notre maître, reflètent et assurent le passage de la peur à l'amour.

L'un des thèmes favoris de Cassien porte sur l'importance absolue de l'expérience personnelle. Nous devons savoir par nous-mêmes et dans la profondeur de notre propre être. Nous devons accomplir plutôt qu'enseigner, être plutôt que faire. Par-dessus tout, nous devons être pleinement éveillés à la merveille et à la beauté de notre être, au mystère de la vie personnelle de Jésus dans notre cœur. Implacablement, nous devons éviter le piège de la demi-conscience, l'état d'engourdissement de la paix pernicieuse (*pax perniciosa*) et du sommeil léthargique (*sopor letalis*). Aujourd'hui, l'influence de Jean Cassien en tant que maître réside dans sa simplicité et sa franchise: des sentiments empreints de noblesse et qui sont sources d'inspiration. Mais comment obéir au commandement de Jésus: «*Veillez et priez*[66]»? La réponse nous est donnée dans l'ancienne tradition de la prière chrétienne que Cassien a transmise au monde occidental: en prenant conscience de notre pauvreté et, par la prière, en approfondissant notre expérience de la pauvreté par un total renoncement à soi. Le moyen simple et pratique qu'il enseigne est la répétition incessante du mantra. Le but principal du chrétien, écrivait-il, est la réalisation du Royaume de Dieu, la puissance de l'Esprit de Jésus dans son cœur. Mais il est impossible d'atteindre ce but par nos seuls efforts ou simplement par la réflexion. Ainsi devons-nous viser un objectif beaucoup plus simple et immédiat que Cassien nomme: «*la pureté du cœur*[67]». Voilà tout ce qui devrait nous préoccuper, enseigne-t-il. Le reste nous sera donné. Et le chemin qui nous conduit à la pureté du cœur, à une conscience claire et parfaite, est celui de la pauvreté, la «grande pauvreté» du mantra.

---

66. Mt 26,41.
67. *Conférence* 1,4.

Cherchez le Royaume

Si on demandait à la plupart d'entre nous la raison de notre insatisfaction, pourquoi nous ne sommes pas simplement heureux, nous n'utiliserions probablement pas des termes tels que harmonie essentielle, conscience, vision claire ou esprit pour répondre. Nous serions plutôt enclins à souligner les traits (ou facteurs) distinctifs de notre vie tels que le travail, les relations personnelles ou la santé, et à attribuer notre malheur ou notre inquiétude à l'un ou l'autre de ces facteurs. En fait, nombreux sont ceux qui ne sauraient reconnaître de liens entre ces différents aspects de leur vie. En effet, nous traçons une démarcation entre chacune de nos activités quotidiennes et nous ne supportons pas qu'elles empiètent les unes sur les autres. Par conséquent, la vie moderne est souvent dépourvue d'un centre, d'un point de convergence, d'une source d'unité. Les hommes et les femmes d'aujourd'hui oublient qu'ils possèdent un tel centre — où réside d'ailleurs leur créativité — et perdent contact avec leur véritable soi.

La façon de voir la prière comme étant seulement un moyen d'exprimer nos désirs ou nos besoins et de rappeler à Dieu nos péchés d'omission ne fait que nous éloigner davantage de la réalité. Rappelons-nous plutôt que Jésus nous a avant tout apporté un message de libération: «*Voilà pourquoi je vous dis: ne vous inquiétez pas pour votre vie de ce que vous mangerez, ni pour votre corps de quoi vous le vêtirez. La vie n'est-elle pas plus que la nourriture, et le corps plus que le vêtement*[68]?» Jésus ne prône pas une attitude indifférente ou irresponsable envers les aspects concrets de notre vie; il nous enjoint plutôt à développer un esprit de confiance — de confiance absolue — dans la paternité de Dieu qui

---

68. Mt 6,25.

nous a non seulement créés, mais qui est celui par qui nous existons à chaque instant de notre vie. *«Ne vous inquiétez donc pas du lendemain: demain s'inquiétera de lui-même[69].»* Cela signifie: réalisez-vous, et ce, dans le moment présent, car votre bonheur et votre satisfaction sont ici et maintenant.

Faire confiance à un autre, c'est renoncer à soi et placer son centre de gravité dans cet autre. Voilà la liberté et voilà l'amour. *«Ne cherchez donc pas, vous non plus, ce que vous mangerez ou boirez; ne vous tourmentez pas. Car ce sont là toutes choses dont les païens de ce monde sont en quête; mais votre Père sait que vous en avez besoin.»* Jésus exhorte ses disciples à avoir confiance en la paternité de son Père, mais cette confiance n'a rien à voir avec la présomption puérile et immature d'une personne qui croit qu'elle peut obtenir tout ce qu'elle désire simplement parce qu'elle le veut. Avoir confiance en Dieu, c'est se tourner totalement vers un autre, et, ce faisant, se transcender et aller au-delà de ses désirs. Dans cette expérience de transcendance même, nous recevons plus que tout ce que nous aurions pu demander ou même oser désirer: *«Cherchez d'abord son Royaume et sa justice, et tout cela vous sera donné par surcroît[70].»*

L'organisation adéquate de nos activités et de nos préoccupations courantes exige que, de façon consciente, nous rétablissions le contact avec le centre de toutes ces activités et préoccupations. Ce centre constitue le but de notre méditation. Il s'agit du centre de notre être. Selon Sainte Thérèse, «Dieu est le centre de l'âme». Ouvrir l'accès à ce centre, c'est permettre au Royaume de Dieu de s'établir dans nos cœurs. Ce royaume n'est rien de moins que la puissance de Dieu, éternellement présente, et la vie de Dieu omniprésente qui imprègne toute la création. Selon Jean Cassien: *«Celui qui a créé l'éternité ne laisse-*

---

69. Mt 6,34.
70. Mt 6,33.

rait pas les hommes lui demander quoi que ce soit d'incertain, d'insignifiant ou de passager[71].» Ce n'est pas qu'il veuille nous empêcher de profiter des bonnes choses de la vie, mais nous ne pouvons les apprécier pleinement que lorsque nous les avons reçues en don de lui, lui qui est la source de tout ce qui est bon, lui qui est la bonté même. La preuve de sa générosité constitue ce que saint Paul nomme: «le fondement de notre espérance». C'est *«l'amour de Dieu [...] répandu dans nos cœurs par le Saint Esprit qui nous fut donné[72]».*

Cette expérience n'est pas réservée qu'aux seuls privilégiés. Ce don a été offert à tous, hommes et femmes. Pour le recevoir, nous devons retourner au centre de notre être, là où il s'est établi en nous, à la source de notre être où l'amour de Dieu se répand par l'Esprit de Jésus qui nous fut donné.

---

71. *Conférence* 9,24.
72. Rm 5,5.

La réalisation de notre harmonie personnelle i

L'impression quasi universelle ressentie par bien des gens qu'il leur faut d'une façon ou d'une autre revenir à un niveau fondamental de confiance en soi, au fondement ou à la base de leur vie, cette impression constitue l'un des traits les plus caractéristiques de notre temps. À cela s'ajoute une crainte presque universelle de glisser dans la non-existence, de perdre contact avec soi-même, de vivre loin de soi. James Joyce disait de l'un de ses personnages «qu'il vivait à une certaine distance de son corps». Il s'agissait là d'un diagnostic merveilleusement simple mais juste de ce que nous connaissons maintenant sous le terme d'aliénation.

Les raisons pour lesquelles nous ressentons ce sentiment d'aliénation face à nous-mêmes, aux autres et à la nature sont sans doute légion, mais il en existe peut-être deux bien précises. La première consiste en une fuite de nos responsabilités personnelles. Nous ne sommes plus en contact avec nous-mêmes parce que nous permettons à quelqu'un — ou quelque chose — d'autre de décider à notre place. Combien de fois nous arrive-t-il de dire de quelqu'un qui agit de façon non conventionnelle «qu'il déraille», ce qui laisse sous-entendre que la société trace la route que chacun doit suivre. La deuxième raison réside dans la façon qui nous est inculquée de concevoir notre vie. On nous a appris à compartimenter nos vies d'une façon trop rigide: l'école, le travail, la maison, la famille, les divertissements, l'église et ainsi de suite. Par conséquent, nous perdons la notion de notre propre plénitude. Nous avons oublié que lorsque nous nous livrons à une activité ou assumons une responsabilité, nous engageons toute notre personne, tout comme Dieu est omniprésent dans toute sa plénitude, sa présence ne pouvant ainsi être limitée ou fractionnée.

Une profonde confusion règne dans l'esprit de l'homme moderne. En effet, la complexité et le fractionnement qui caractérisent sa vie semblent avoir anéanti son individualité. La question que se posent tous les hommes et toutes les femmes modernes — non pas seulement les religieux — est la suivante: «Comment puis-je reprendre contact avec moi-même? Comment retrouver ce sentiment de confiance en moi-même, la confiance de savoir que je suis en droit d'exister?» Cette question, il nous faut la poser et y répondre, car en l'absence de cette confiance fondamentale en notre propre existence, il nous est impossible de sortir de nous-mêmes pour aller à la rencontre de l'autre, et, sans l'autre, il nous est impossible de devenir pleinement nous-mêmes.

Toutefois, une sorte d'instinct universel nous avertit que l'on ne peut pas trouver la réponse à cette question en procédant à une analyse intellectuelle de soi-même. Pour découvrir notre harmonie essentielle et notre plénitude, pour nous découvrir, nous ne pouvons pas nous concentrer sur une partie de notre être. Ce que l'homme moderne redécouvre particulièrement, bien qu'il s'agisse à ses yeux d'une découverte inédite, c'est que la réalité ne peut être connue que comme un tout, qu'il est impossible de la connaître seulement en partie, et que cette prise de conscience totale ne s'accomplit *que dans le silence*. Cette vérité que l'on communique aujourd'hui, on la découvre dans de nombreux domaines de la vie. L'art abstrait, par exemple, résiste ou renonce à tout équivalent linguistique significatif; il est difficile de discuter des différents tons de bordeaux appliqués sur une toile. Wittgenstein, peut-être plus que tout autre auteur, nous a amenés à deux doigts d'admettre que l'on ne peut s'en remettre au langage pour représenter la vérité. La parole est une espèce de régression infinie,

91

et les mots ne réfèrent vraiment qu'à d'autres mots. Il s'agit là d'une découverte libératrice pour chacun de nous, à condition d'avoir le courage de poursuivre jusqu'au bout et de devenir véritablement silencieux. Si nous y parvenons, l'une de nos premières récompenses consistera à prendre conscience de notre propre harmonie essentielle, l'harmonie que nous découvrons en étant attentifs de tout notre cœur dans la prière. Cette attention est plus profonde, plus réelle que tout ce que la pensée, le langage ou l'imagination peuvent accomplir. L'homme complet qui jouit de la vie, du don de sa propre vie, est celui qui peut s'apprécier comme un tout unifié: *«Je te remercie Seigneur pour la merveille que je suis»*, chante le psalmiste[73].

Dans la méditation, notre tâche est de permettre le rétablissement de notre unité ainsi que l'alignement harmonieux au centre de notre être, de notre moi divisé. Pour ce faire, il faut éviter de nous éparpiller davantage. Nous devons nous concentrer, nous diriger vers notre centre. Au moment de l'éveil véritable de notre conscience à ce centre, dans le silence, un pouvoir se libère: le pouvoir de la vie, le pouvoir de l'Esprit. Ce pouvoir nous reconstitue, nous réunifie, nous re-crée. Saint Paul déclarait: «*Si donc quelqu'un est dans le Christ, c'est une création nouvelle[74].*» Le mantra nous conduit directement à ce centre.

---

73. Ps 139,14.
74. 2 Co 5,17.

La réalisation de notre harmonie personnelle II

J'ai évoqué précédemment la prise de conscience progressive chez l'homme moderne de l'insuffisance du langage comme outil capable de le ramener à lui-même. Il ne s'agit aucunement de vision anti-intellectualiste. Je ne nie pas que le langage constitue un moyen de communication essentiel entre les hommes. En fait, si tel était le cas, le présent manuel deviendrait une espèce d'anachronisme. Il n'est peut-être pas possible au langage de nous mener à la communion ultime, mais la communication langagière crée une atmosphère d'où nous tirons le souffle de la conscience. Le langage développe notre conscience et nous mène au silence, mais ce n'est que dans le silence, et par lui, que nous devenons pleinement conscients.

Permettez-moi de vous donner un exemple de cette affirmation plutôt abstraite en revenant à l'idée d'harmonie personnelle. Étant donné que nous exprimons une idée, nous devons recourir au langage pour en parler. Le langage utilise des mots. Or, les mots possèdent une signification dans la mesure où ils ne signifient pas autre chose que ce qu'ils signifient, et, pour parler de l'harmonie personnelle, il est nécessaire d'analyser, de distinguer, de séparer. Par harmonie personnelle, j'entends l'intégration, la parfaite coopération entre la pensée et le cœur, le corps et l'esprit. Cependant, lorsque je parle ainsi (avec des mots) de ces dernières notions, j'en parle comme s'il s'agissait d'entités distinctes et ne suis-je pas en train de suggérer qu'elles fonctionnent réellement indépendamment les unes des autres. Or, nous savons bien sûr que ces entités ne fonctionnent pas pour elles-mêmes, mais plutôt en fonction de l'ensemble. Si l'on me communique d'heureuses nouvelles, je ressens cette joie dans mon corps, je la reconnais dans ma pensée, elle élargit mon esprit. Toutes ces choses se produisent, elles constituent toutes ensemble ma réponse, ma participation à ce qui m'arrive. Ce n'est pas mon corps qui dit quelque chose à ma tête, ni celle-ci qui me communique quelque chose par le langage du corps. Je suis une personne entière et je réagis avec tout mon corps[75].

D'une part, nous reconnaissons que nous sommes cette personne entière, cette harmonie, mais d'autre part, nous ignorons cette vérité faute d'en être pleinement conscients. Il est probable que l'harmonie consciente qui vit en pure joie et liberté au centre de notre être ne s'est pas encore déployée et répandue dans tout notre être. Pour lui permettre d'y arriver, nous devons simplement retirer l'obstacle que constitue la pensée étroitement égocentrique, le langage vain. En d'autres mots, nous devons devenir silencieux. Si l'homme s'identifiait vraiment en tant que corps-pensée-esprit, en tant qu'harmonie de ces trois éléments, il serait alors en mesure de rendre tout son être pleinement conscient de cette réalité. Quoi qu'il en soit, l'homme moderne ne connaît plus son esprit, et il le confond avec sa pensée. Par conséquent, il a perdu le sentiment de son propre équilibre et de sa dimension de créature capable d'atteindre le silence créateur de la prière. Ce n'est que lorsque l'on aura retrouvé notre conscience de l'esprit qu'il nous sera possible de commencer à comprendre le mystère intelligent de notre être. Nous ne sommes pas que deux extrêmes qui coexistent: le corps et la pensée. À l'intérieur de notre être, au centre de notre être, se trouve un principe d'unité; il s'agit de notre esprit, l'image de Dieu en nous.

L'auteur du *Nuage d'inconnaissance*, au quatorzième siècle, a écrit: «*Car c'est en vérité que je te dis que cette œuvre [de méditation] réclame une très grande et complète tranquillité et une*

---

75. Cf. 1 Co 12,12-26.

entière et pure disposition, tant de corps que d'âme... Dieu ne permettrait que je départisse ce que Dieu a couplé et uni: le corps et l'esprit[76].» La façon de devenir pleinement conscients de cette harmonie essentielle de notre être est d'être silencieux. Et méditer, c'est être silencieux. Alors, l'harmonie de notre essence — notre centre —s'épanouit et se répand dans chaque partie et chaque particule de notre être. L'auteur du *Nuage d'inconnaissance* exprime cela de façon très charmante: *«Quiconque aura d'être en cette œuvre, il en sera tenu et gouverné en la parfaite décence, tant en son corps qu'en son âme, et par tous ceux qui le voient, il en sera sympathiquement considéré. Si bien que l'homme ou la femme le moins favorisés à ce point de vue, s'ils venaient en cette vie à œuvrer en cette œuvre, leur faveur tout soudain et gracieusement se trouverait changée, de telle sorte que tout homme de bien, les rencontrant, se montrerait heureux et joyeux de leur compagnie, et plus, s'estimerait par leur présence aidé et assisté de la grâce à se tourner vers Dieu[77].»*

Imprégner tout notre être de cette harmonie essentielle, c'est laisser la prière de l'esprit de Jésus jaillir dans nos cœurs, remplir nos cœurs et inonder tout notre être. Il s'agit là du merveilleux don que Jésus nous a offert en nous envoyant son Esprit. Mais il ne nous l'impose pas. Il nous revient de le reconnaître et de l'accepter, non pas avec notre intelligence et nos facultés d'analyse, mais en demeurant silencieux, en demeurant simples. Le don nous a déjà été offert. Il nous faut simplement ouvrir notre cœur à son infinie générosité. Le mantra ouvre nos cœurs dans une simplicité absolue. Saint Paul a écrit dans son épître aux Corinthiens: *«Ne savez-vous pas que votre corps est un temple du Saint Esprit, qui est en vous et que vous tenez de Dieu[78]?»* La méditation constitue simplement le moyen de le reconnaître.

---

76. *Le nuage d'inconnaissance*, chapitres 41,48.
77. *Ibid.*, chapitre 54.
78. 1 Co 6,19.

La réalité du moment présent

On a déjà affirmé que les hommes seraient dépour-vus de moralité et de conscience si toute notion du futur leur échappait. Si nous ne pouvions concevoir que le présent et ne vivions pleinement qu'en lui, nous deviendrions des hommes bons ici et maintenant, car il nous serait impossible de reporter à un plus tard indéfi-ni le moment de conversion.

L'emprise phénoménale que le judaïsme a exercé sur le monde provient peut-être du fait qu'aucun verbe dans la langue hébraïque ne se conjuguait au futur. Ce senti-ment de la présence éternelle de Dieu anime à la fois l'Ancien et le Nouveau Testament. Dieu s'adressait ainsi à Moïse: *«Je suis celui qui est. Voici en quels termes tu t'adresseras aux enfants d'Israël: "JE SUIS" m'a envoyé vers vous[79].»* Non seulement Jésus prêchait-il que le Royaume des cieux se trouvait déjà parmi les hommes, mais il affirmait égale-ment de lui-même: *«Avant qu'Abraham fût, Je Suis[80].»* Le témoignage de saint Paul lorsqu'il proclame: *«Le voici maintenant le temps favorable, le voici maintenant le jour du salut[81]»*, est imprégné de ce sentiment du Royaume tou-jours présent. Je vous invite maintenant à lire le premier paragraphe de l'épître aux Romains, chapitre 5, et de por-ter une attention spéciale aux temps de verbes utilisés:

Ayant donc reçu notre justification de la foi, nous sommes en paix avec Dieu par notre Seigneur Jésus Christ, lui qui nous a donné d'avoir accès par la foi à cette grâce en laquelle nous sommes établis, et nous nous glorifions dans l'espérance de la gloire de Dieu[82].

---

79. Ex 3,14.
80. Jn 8,58.
81. 2 Co 6,2.
82. Rm 5,1-2.

Vous réaliserez que l'effet principal de ce passage est d'attirer notre attention sur notre condition présente et sur la nécessité d'amener notre esprit à une concentration constante sur le moment présent.

Le dynamisme extraordinaire de ces paroles et de l'ensemble des écrits de saint Paul traduit l'étonnement extraordinaire qui nous saisit devant la merveille, la splendeur et l'inimaginable réalité de la condition dans laquelle nous nous trouvons ici et maintenant, et ce, au point de gêner notre concentration. Il nous a été accordé d'être établis dans la grâce de Dieu où nous nous trouvons maintenant. Jésus a fait resplendir la route pour nous, et par sa propre expérience, nous a incorporés à cet état qui est celui de sa glorieuse communion avec le Père dans sa vie de ressuscité, une vie qui se répand maintenant dans l'ensemble de la création. Nous sommes établis dans la grâce de Dieu parce que nous nous trouvons là où il est, et il se trouve là où nous sommes. Nous sommes en lui, et son Esprit est en nous.

Et pourtant, ce passage de l'épître aux Romains se termine avec ces mots: «*nous nous glorifions dans l'espérance de la gloire de Dieu*». Pourquoi remettre à plus tard notre établissement dans la grâce de Dieu? La rhétorique de saint Paul l'induit-elle en erreur et le conduit-elle à se contredire? Non, son affirmation est celle de Jésus: «*Le Royaume des cieux est parmi vous, il est en vous.*» Toutefois, vous devez prendre conscience de cette vérité, laisser votre conscience s'agrandir et se développer. Nous sommes déjà dans la grâce de Dieu, car l'Esprit a été envoyé dans nos cœurs. Mais parce que nous avons été créés à l'image de Dieu, nous sommes appelés à prendre conscience de nous-mêmes. Il nous faut reconnaître par nous-mêmes ce que Jésus a réalisé pour nous. Nous devons prendre conscience de la personne que nous sommes déjà. Le but de la méditation est justement de nous amener à prendre pleinement conscience de qui nous sommes, d'où nous sommes, de mettre fin à nos éternelles remises à plus tard. Nous devons revenir à la réalité concrète du moment présent où notre splendeur divine nous est révélée. Nous devons demeurer immobiles. Il nous faut apprendre à porter une attention constante et continuelle à la réalité de notre être ici et maintenant. Le père de Caussade qualifiait cette attitude de «sacrement du moment présent», et c'est là où le mantra nous conduit: la pleine conscience de la divine splendeur du moment présent. Le mantra constitue notre sacrement du moment présent.

La communauté chrétienne I

Si les chrétiens d'aujourd'hui manquent de conviction et d'enthousiasme pour proclamer l'Évangile de Jésus, c'est parce qu'ils oublient que leur raison d'être fondamentale est d'exister pour les autres. L'Église ne vise pas à se perpétuer elle-même, à se protéger contre tout préjudice ou à assurer sa propre sécurité. Le devoir de l'Église est d'aider les hommes à reconnaître l'amour rédempteur de Dieu en Jésus, et, dans la mesure où elle se dédie vraiment aux autres, l'Église est invulnérable, triomphante. Jésus s'adressait ainsi à ses disciples:

Vous êtes la lumière du monde. Une ville ne peut se cacher, qui est sise au sommet d'un mont. Et l'on n'allume pas une lampe pour la mettre sous le boisseau, mais bien sur le lampadaire, où elle brille pour tous ceux qui sont dans la maison. Ainsi votre lumière doit-elle briller devant les hommes afin qu'ils voient vos bonnes œuvres et glorifient votre Père qui est dans les cieux[83].»

Si les hommes de ce monde ne croient pas ce que nous affirmons au sujet de Jésus et de la réalité de l'esprit humain, n'est-ce pas parce qu'ils doutent de notre croyance et de notre connaissance? Il ne suffit pas de vouloir changer l'image de l'Église dans le monde, de s'inquiéter de l'effet qu'aura ceci ou de l'impression que donnera cela. Avant de changer l'image de l'Église, il faut commencer par nous redécouvrir en tant qu'images de Dieu.

Le seul moyen d'y parvenir consiste, pour l'Église, à faire briller la lumière qui lui a été confiée sur «tous ceux qui sont dans la maison». Et ce moyen est celui de la prière. Les moyens, ici comme dans toute chose, doivent être en accord avec la fin. Nos communautés

---

83. Mt 5,14-16.

chrétiennes n'existent pas pour elles-mêmes, mais pour les autres, et, en définitive, pour l'Autre. Par la prière, il nous faut découvrir que nous existons pour l'Autre, car c'est dans la prière que nous réalisons qu'il nous a créés et que c'est par lui que nous existons.

Ainsi, dans la prière, nous permettons à Dieu d'être; nous jouissons de son être tel qu'il est; nous ne tentons pas de manipuler, de haranguer ou de flatter Dieu; nous ne le submergeons pas de paroles savantes et de formules, mais nous l'adorons. Cela signifie que nous reconnaissons sa valeur et sa grandeur, et, ce faisant, nous découvrons que, créés à son image, nous partageons sa valeur et sa grandeur en tant que Fils de Dieu.

Il se dégage du silence un pouvoir spécial. Nous en avons tous fait l'expérience à un moment ou un autre de notre vie en présence d'une personne aimée, ou peut-être à l'occasion d'une peine ou d'une douleur profonde. Dans les moments les plus importants de notre vie, le silence nous vient tout naturellement parce que nous sentons que nous prenons contact, de façon directe, avec une vérité d'une telle portée que les mots ne réussiraient qu'à nous en distraire et à nous empêcher d'en saisir toute la signification. Le pouvoir du silence permet à cette vérité d'émerger, de monter à la surface, de devenir visible. Cela se produit de façon toute naturelle, en son temps et à sa manière. Nous savons que nous n'en sommes pas les instigateurs, mais cette vérité revêt une signification toute personnelle pour nous. Nous reconnaissons qu'elle est plus grande que nous, et découvrons une humilité peut-être inattendue qui nous conduit à un véritable silence attentif. Nous permettons à la vérité d'exister.

Cependant, quelque chose en nous tous nous pousse à dominer les autres, à désamorcer ce pouvoir unique de transformation que nous percevons vaguement dans un moment de vérité, à nous en protéger en neutralisant ce qui est autre et en nous imposant. La faute d'idolâtrie consiste précisément à créer son propre dieu à son image et à sa ressemblance. Plutôt que de rencontrer Dieu dans ce qui le distingue de façon imposante de nous-mêmes, nous le réduisons à la dimension d'un modèle jouet en le façonnant à notre image psychique et émotionnelle. Et ce faisant, nous ne lui portons pas préjudice naturellement, car ce qui est irréel n'a aucun pouvoir sur lui, mais nous nous avilissons et nous nous dispersons en abandonnant le potentiel et la gloire divine de notre humanité pour le faux éclat du veau d'or. La vérité est tellement plus excitante et merveilleuse. Dieu n'est pas un reflet de notre conscience, mais nous sommes son reflet, son image, par notre incorporation en Jésus, son Fils, notre frère. Le moyen de découvrir cette vérité se trouve dans le silence de notre méditation.

La communauté chrétienne II

Tout comme avec Dieu, nous pouvons ramener les autres à notre propre dimension et leur imposer notre identité. En fait, si nous le faisons avec Dieu, nous le répétons inévitablement avec les autres, et la réciproque est également vraie. C'est la contrepartie de l'affirmation de saint Jean: «*Si quelqu'un dit: "J'aime Dieu" et qu'il déteste son frère, c'est un menteur: celui qui n'aime pas son frère, qu'il voit, ne saurait aimer le Dieu qu'il ne voit pas. Oui, voilà le commandement que nous avons reçu de Lui: que celui qui aime Dieu aime aussi son frère*[84].» Il importe de bien comprendre cette proclamation de saint Jean, à savoir que nous n'avons pas à choisir entre aimer Dieu *ou* notre prochain: nous les aimons tous les deux ou nous n'aimons aucun d'entre eux. Et aimer signifie se réjouir de ce qui est autre chez l'autre, parce que la profondeur de cette conscience est la profondeur de notre communion avec l'autre. Dans cette communion, la découverte de notre véritable soi ainsi que de celui de l'autre est la même découverte. Ainsi, il ne suffit pas de se limiter à une ressemblance superficielle avec les autres, car il y a beaucoup plus. En eux, nous découvrons notre véritable soi, et notre véritable soi n'apparaît et ne se réalise que lorsque notre être est entièrement tourné vers un autre.

Dans la méditation, nous développons cette capacité de tourner tout notre être vers l'Autre. Tout comme nous permettons à Dieu d'être, nous apprenons à permettre à notre prochain d'être également. Nous apprenons à ne pas le manipuler, mais plutôt à le vénérer, à vénérer son importance et la merveille qu'est son être; en d'autres mots, nous apprenons à l'aimer. Pour cette

---

84. 1 Jn 4,20-21.

raison, la prière se révèle être une grande école de communauté. En faisant preuve de sérieux et de persévérance dans la prière, nous réalisons la véritable gloire de la communauté chrétienne en tant que fraternité des appelés, et nous vivons ensemble dans un respect mutuel, profond et empreint d'amour. La communauté chrétienne consiste essentiellement pour ses membres à faire l'expérience d'être vénérés par les autres et, en retour, de les vénérer. Cette vénération mutuelle prouve que les membres de la communauté sont en harmonie d'une manière sensible les uns avec les autres et sont sur la même longueur d'onde que l'Esprit, l'Esprit même qui nous a tous appelés à la plénitude d'amour. Dans les autres, je reconnais le même Esprit qui habite mon cœur, celui qui constitue mon être véritable. La reconnaissance de l'autre personne contribue à remodeler mon esprit et à élargir ma conscience. Et par cette reconnaissance, cette autre personne devient vraiment elle-même, telle qu'elle est dans son être véritable, et non une extension déformée de moi-même. Elle se meut et s'exprime en accord avec sa propre réalité, dans toute son intégrité, et non plus comme une sorte d'image créée par mon imagination. Malgré nos divergences d'opinions ou de principes, nous vivons en harmonie, dans un équilibre dynamique, parce que nous reconnaissons mutuellement que chacun de nous est infiniment aimable et important, que chacun de nous possède une réalité unique et essentielle.

Ainsi, la dynamique du corps mystique du Christ où l'on souffre et se soutient mutuellement ne vise que ce but créateur: la réalisation de l'être essentiel de chacun. La véritable communauté ne s'établit que lorsque l'on s'engage l'un l'autre dans la lumière de l'être véritable. Dès lors, dans ce processus, nous partageons une expérience approfondie de la joie de vivre, de la joie d'être, en découvrant de plus en plus toute la plénitude de la vie, dans une foi empreinte d'amour partagée avec d'autres. Ainsi, l'essence d'une communauté consiste à reconnaître et à vénérer profondément l'autre. Notre méditation a quelque chose de cette essence, car elle nous amène à nous tourner entièrement vers l'Autre: l'Esprit qui habite notre cœur. La totale révélation de ce qui est autre ainsi que notre communion avec tout ce qui est s'accomplissent dans un silence révérenciel. Notre attention est tournée vers l'autre de manière si complète que nous demeurons muets dans l'attente que l'autre parle. Le mantra nous guide vers une conscience toujours plus profonde du silence, ce silence qui règne à l'intérieur de nous, et il nous soutient durant l'attente.

BIBLIOGRAPHIE

BUTLER, Cuthbert, dir., *Rule of St. Benedict*, éd. Cuthbert Butler, Herder, Freiburg, 1912.

CASSIEN, Jean, *Conférences*, Collection «Sources chrétiennes», n° 54, Les Éditions du Cerf, Paris, 1958.

HILTON, Walter, *The scale of perfection*, Penguin, 1957; Illtyd Trethowan O.S.B., Geoffrey Chapman, London, 1975.

L'ÉCOLE BIBLIQUE DE JÉRUSALEM, *La Sainte Bible*, Les Éditions du Cerf, Paris, 1961.

Le nuage d'inconnaissance (auteur inconnu), Les Éditions du Seuil, 1977.

MAIN, John, *La méditation chrétienne; Conférences de Gethsémani*, Le Prieuré bénédictin de Montréal, 2e édition, 1985.

CENTRES DE
MÉDITATION CHRÉTIENNE

Canada

Centre de méditation chrétienne
367, boul. Sainte-Rose
Laval, Québec
Canada H7L 1N3
Téléphone: (514) 625-0133

Belgique

Centrum voor meditatie in de christelijke traditie
Beiaardlaan 1
1850 Grimbergen
Belgique
Téléphone et télécopieur: (010) 2 269-5071

Angleterre

Centre international de méditation chrétienne
23 Kensington Square
Londres W8 5HN
Angleterre
Téléphone: (071) 937-4679
Télécopieur: (071) 937-6790

Table des matières

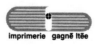

imprimerie gagné ltée

IMPRIMÉ AU CANADA